ARCHIVES DES LETTRES MODERNES

221

CONSTANT VENESOEN

Corneille apprenti féministe

de *Mélite* au *Cid*

PARIS — LETTRES MODERNES — 1986

SIGLE DE L'ÉDITION UTILISÉE

ŒC CORNEILLE, *Œuvres complètes*, présentation et notes d'André Stegmann. Paris, Seuil, 1963.

Toute citation formellement textuelle, accompagnée de sa référence, se présente soit hors texte, en caractère romain compact, soit dans le corps du texte en *italique* entre guillemets, les soulignés du texte d'origine étant rendus par l'alternance romain/*italique* ; mais seuls les mots en PETITES CAPITALES y sont soulignés par l'auteur de l'étude. Le signe * devant une séquence atteste l'écart typographique : *italiques* propres au texte cité mais isolées du contexte non cité. Pour les pièces : les renvois d'ensemble sont à l'Acte et à la scène ; les citations sont identifiées par la numérotation des vers. Les renvois aux autres textes de Corneille sont à la pagination dans *ŒC*.

PRODUIT EN FRANCE
ISBN 2-256-90414-8

hommes et les femmes, envoûtés par des dilemmes de conscience, risque parfois d'y apparaître avec un certain artifice. En d'autres mots, en tant que documents sociologiques, marquant, par exemple, la relation entre les sexes, les tragédies sont, non pas inutiles, mais plus difficilement déchiffrables. Les contemporains de Corneille ne s'y sont d'ailleurs pas toujours retrouvés ou reconnus, et plusieurs grandes figures héroïques ne sont jamais devenues des idoles ou des modèles adulés. On les a même parfois boudées. Ce n'est guère Polyeucte ni Horace qui nous contrediraient. On leur a préféré des hommes qui avaient le bon goût de souffrir publiquement. Du côté des rôles féminins, enrégimentés dans l'aventure tragique, les choses n'allaient pas tellement mieux. Une virilisation morale a semblé excessive, compte tenu de la conviction historique selon laquelle les plus nobles sentiments sont réservés aux hommes. Que l'on ait, plus tard, soupiré d'aise avec la venue de Racine, si vrai et si compréhensif, ne devrait étonner personne. N'avait-on pas eu trop souvent l'impression, sinon le malaise, que tout contrat sexuel chez Corneille se développait en des sphères trop inaccessibles? Le conflit de base, ou l'accord, entre homme et femme avait paru faussé. Il semblait manquer à Corneille une prise directe sur la vie. Son art tragique avait évolué dans l'idéalisation et dans l'illusion. C'était là son classicisme à lui, nous dirions presque : son hellénisme.

Les critiques n'ont toutefois pas abdiqué. Quelques-uns se sont mis à tailler dans le roc. Ils ont voulu faire suinter le marbre. Ainsi, Horace devenait un aigle blessé, Rodrigue un tortionnaire, Polyeucte un désœuvré spirituel; les femmes, elles, des suivantes au cœur et à l'échine fléchis. Tantôt l'analyse de l'amour, et tantôt celle de la relation fondamentale entre «le maître et l'esclave» ont eu pour effet d'humaniser – entendons ici l'indice de la faiblesse – des personnages qu'on avait depuis longtemps abandonnés à la simple crispation héroïque. Les hommes devenaient

INTRODUCTION

D'AUCUNS prétendent que la littérature précède, annonce ou détermine les fluctuations sociales ; qu'elle influe sur les êtres et leur dicte de nouvelles configurations. D'autres, fidèles aux leçons de Madame de Staël, reconnaissent seulement que la littérature est l'expression de la société, qu'elle n'est que témoin ou, à la limite, symptôme d'un courant existant mais obscurément ressenti. Que l'on penche pour l'une ou l'autre explication, il reste que la présence humaine dans une œuvre de fiction émerge en général d'une perception psychologique couramment reconnaissable, ou, en termes plus surannés, d'une vraisemblance unanimement applaudie. Le lecteur aime se retrouver, ou du moins se plaît à découvrir la projection de ses propres fantasmes. Un air de familiarité, réelle ou rêvée, est de mise.

L'œuvre de Pierre Corneille, en regard de nos remarques, a fait quelque difficulté. Elle fut en effet à la croisée du vécu et de l'imaginaire. Tantôt une réalité plaisante, parfois mi-figue, mi-raisin, fit l'objet de l'effort créateur, et ce furent alors les comédies de Corneille. Tantôt l'œuvre s'imbiba d'un idéalisme de grandeur sous forme de passions ou de « raisons » et refléta davantage un désir d'auteur plutôt qu'une vérité humaine facilement observable. Les tragédies, qui représentent la majeure partie de l'œuvre cornélienne, constituent cette deuxième facette de la création. C'est là aussi que l'on devine un Corneille historien ou auteur didactique, ses leçons étant essentiellement destinées aux Grands de son monde. Et le rapport entre le plus homme, les femmes plus souples, d'un point de vue psychologique, mais le tout continuait à évoluer dans un rapport hétérosexuel parfaitement conformiste : l'homme agit et brille, la femme admire et s'efface. Ce « nouveau » Corneille avait dorénavant droit aux palmes de la sensibilité, mais son regard et ses options idéologiques demeuraient essentiellement virils. En dépit de la réhabilitation opérée par la critique moderne, qui consiste à dénuder le héros drapé, Corneille maintenait, semblait-il, le juste déséquilibre entre l'homme et la femme. L'héroïsme, même démythifié, a ses paliers, son échelle des valeurs, sa hiérarchie.

Les conclusions de certains nouveaux éclairages rejoignaient finalement ce que l'on avait toujours su : que le monde cornélien est l'enfer des hommes avant d'être le paradis des dames. La mesure primordiale – l'étalon, oserait-on dire – était, malgré tout l'acte viril ; le reste était à la traîne, dépendant et soumis ! Si Chimène s'épanouit, ou que Pauline s'éveille à la vérité, c'est, suggère-t-on, qu'elles ont été touchées par la grâce dominatrice du mâle seigneur. Enfouis dans la conscience créatrice de Corneille, et dans sa conscience tout court, vibreraient, triomphants, le chauvinisme de la maîtrise virile et la conviction de sa supériorité démiurgique. Rodrigue et, avant lui, l'extravagant Alidor, en proposent l'image et la preuve.

Ce n'est pas *contre* des interprétations nouvelles ou anciennes du monde cornélien que nous avons entrepris ce « Corneille apprenti féministe » ; c'est plutôt *en marge*. Car, en fait, une re-lecture des premières comédies, non seulement révèle le réalisme cornélien, mais aussi une réflexion généreuse sur le statut féminin, voire sur ses jeunes revendications. Oui. Un féminisme sans condescendance, honnête et frais, semble surgir des premières œuvres primesautières de Corneille. Pour le dire, il fallait toutefois de la prudence. Nous ne savons que trop bien, en effet, qu'une mode actuelle réclame que l'on éclaire sous un jour équitable la présence féminine et le rôle réformé qu'elle joue parmi nous. La tentation de satisfaire à tout prix à cette mode existe donc, tout comme le piège dans lequel elle risque d'entraîner. La « grille féministe », aussi charmante soit-elle, pourrait masquer ou déformer des vérités fondamentales de la psyché cornélienne. On peut confondre, par exemple, la stature héroïque et virilisée de la femme avec la pointe émoussée d'un féminisme de bon aloi. On peut croire que certains penchants androgènes de la femme cornélienne tiennent lieu de reconnaissance de la qualité féminine. Bref, suffit-il que la femme se mette vraiment à imiter son partenaire ou son adversaire pour qu'elle soit assurée de ses droits et de sa juste « féminitude » ?

Grâce à un choix parmi les premières comédies, nous avons pu esquiver quelques écueils. Du coup nous n'étions plus en présence de la femme hommasse. Il fallait seulement être attentif à la profonde sensibilité féminine des créations de jeunesse, et rester fidèle à l'appel et au témoignage du texte. De fil en aiguille – qu'on nous passe l'allusion – notre intérêt s'est porté sur ce que Corneille pensait de la femme à un âge où lui-même bouillonnait d'une certaine urgence sexuelle ; à un moment où il cherchait à travers ses propres fantasmes à découvrir et à comprendre un être féminin, fait de mystère et de séduction. C'est donc le jeune Corneille des comédies et, encore si jeune, du *Cid* – une œuvre *tragi-comique* – que nous avons interrogé. En réalité, nous posons des questions à un Corneille qui n'a pas encore trouvé sa voie définitive et qui, par les méandres de son imagination, se livre à la recherche de sa propre vérité et de celle de l'*Autre*. Si on veut, un Corneille qui n'est pas forcément en quête de gloire et d'éternité.

Enfin, ce *Corneille apprenti féministe*[1], s'il arrive à convaincre, jettera peut-être quelque lumière étrange sur le monument tragique que le poète légua « à l'âge de la raison », le sien et le nôtre...

1

PREMIÈRES ARMES, PREMIÈRES DÉCOUVERTES

LORS de son passage à Rouen, en 1629, Montdory eut la visite d'un jeune avocat, un peu timide sans doute en dépit de ses titres ronflants[2]. Pierre Corneille approcha Montdory dont il avait certainement deviné les louables ambitions : l'assaut de Paris et la réussite ! L'occasion de la rencontre des deux hommes fut évidemment cette *Mélite ou les Fausses lettres*, modestement soumis au directeur de troupe par un Corneille déjà confiant en son talent, et prétextant d'ailleurs plus tard qu'il n'avait eu que du bon sens : dans l'« Examen » de *Mélite*, qui date de 1660, il avoua qu'il n'eut « *pour guide qu'un peu de sens commun, avec les exemples de feu Hardy, dont la veine était plus féconde que polie, et de quelques modernes qui commençaient à se produire, et qui n'étaient pas plus réguliers que lui* » (*ŒC*, 28). Quoi qu'il en soit, Montdory avait été séduit et monta la pièce pour la saison de 1629[3]. À en croire Corneille, qui a toujours été le meilleur publicitaire de son œuvre, « *le succès en fut surprenant* ». Corneille dit peut-être vrai puisqu'il créa sa deuxième comédie, *La Veuve*, à partir d'un calque de *Mélite*[4]. Il fallait que la formule ait eu quelques mérites.

Mélite elle-même ne brilla guère par son originalité. Corneille a cru qu'il pouvait aisément duper ses juges. Il affecta la naïveté du provincial qui ignore tout, et jusqu'aux règles, prétendant dans l'« Examen » avoir osé présenter un genre nouveau « *dont il n'y* [*avait*] *point d'exemple en aucune langue* » (*ŒC*, 28-9) ! Ignorait-il vraiment le *De tragœdiæ constitutione* de Heinsius, publié en 1611, avec le *Aristotelis de pœtica liber*, à Leyden ? Ces commentaires d'Aristote, après tout, connurent une publication parisienne en 1625. Il est peu probable qu'un dramaturge en herbe, plein d'ambitions, ne l'ait pas consulté, d'autant plus qu'on a fait remarquer très justement que Corneille mentionne Heinsius plus souvent que n'importe quel autre docte et que le Hollandais est même le premier théoricien dont Corneille ait jamais parlé[5].

Corneille est même un peu plus impertinent lorsqu'il suggère dans l'« Examen » que son originalité tient au fait qu'il a produit une œuvre qui « *fit rire sans personnages ridicules, tels que les valets bouffons, les parasites, les capitans, les docteurs, etc.* » (*ŒC*, 28). Soit. Mais oublie-t-il ses généreux emprunts à la *Doryse* ou au *Gésippe* de Hardy ? L'érudition moderne a fait un sort aux puériles prétentions de Corneille : la thèse d'Octave Nadal[6] a définitivement réglé la question[7].

Ce ne sont donc ni les scènes de folie, astucieuses variantes à peine déguisées des extravagances des capitans, ni la ruse des fausses lettres, qui sauveront Corneille de la banalité de ses premiers efforts créateurs. À ce point de vue, *Mélite*, et les grandes comédies qui suivirent, n'offrent plus un très grand intérêt au lecteur courageux de nos jours[8].

Plus actuel sans doute, et certainement plus attachant dans les premières œuvres du dramaturge est le rôle accordé à la femme[9], muse éternelle des poètes et source séculaire de l'amour vivifiant ! Qu'un jeune auteur dramatique ait été tenté d'explorer le mystère du monde féminin, rien d'étonnant. Corneille eut l'ardeur de ses vingt ans, aima les femmes et l'amour, rencontrés au hasard des bals masqués de Rouen. Corneille, après tout, ne fut pas un incorrigible rat de bibliothèque ou un lecteur infatigable de tout ce que la littérature de son temps pouvait lui offrir. Après les années de collège, chez les austères jésuites, il a voulu vivre pleinement. « *Pierre Corneille découvre le monde, la gaieté, la légèreté.* [...] *il est étudiant, et on s'amuse beaucoup à Rouen.* » (p. 38[10]). Sa jeunesse et quelques-unes de ses lectures le menèrent à la carte du Tendre pour laquelle il affecterait plus tard un certain présomptueux mépris. Sa formation de futur auteur de comédies se fit au contact d'une société bruyante et frivole, de jeunes gens fanfarons et voyeurs, de femmes, jeunes ou moins jeunes, belles à croquer et à qui Corneille aimait offrir un « *Madrigal pour un masque donnant une boîte de cerises à une demoiselle* » (*ŒC*, 865). Il est vrai, comme l'a montré Nadal, que la littérature nourrissait abondamment toutes les imaginations : « *C'est à l'*Aminte *de Tasse* [écrit-il] *que nos dramaturges allèrent d'abord. Dans le décor pastoral s'anime la terrible nudité de l'amour... Les sentiments des personnages, tendresse, désir, pudeur, jalousie, fidélité, indifférence, s'y développent suivant les seules lois de l'amour... Tous les personnages récitent passionnément l'amour.* » (p. 60-1[6]). Mais il est peut-être moins sûr « *qu'à l'origine des premières comédies, il y a l'*Astrée, *ou les œuvres de théâtre qui s'en inspirent, et non l'observation de la société mondaine ; c'est par le livre* [insiste Nadal] *que Corneille commence à découvrir celle-ci. Il ignore la fréquentation des ruelles* » (p. 78[6]). Que l'influence livresque ait joué, il n'y a pas de doute. Qu'elle ait même fourni des canevas, des personnages, un ton et un climat, il n'y aurait finalement que Corneille à vouloir le contester. Que cette influence ait été néanmoins aussi exclusive que ne le prétend le critique, on peut en douter, à moins d'imaginer que le jeune Corneille a été isolé du monde qui s'amuse autour de lui, ignorant les coulisses et les fêtes, emmuré avec ses livres et ses souvenirs fugaces des « *chevaliers du miracle* »[11] qu'il aurait rapidement admirés à la rencontre des tréteaux. Nadal songe aux ruelles de Paris et semble y confiner la seule vie mondaine en France. Rouen n'est peut-être pas tout à fait policé, mais il y existe, aussi, une vie mondaine où se mêlent carabins et charlatans, nobles et bourgeois, filles aguichantes ou demoiselles prudes et passionnées. Un monde de plaisir et de galanteries dont les premières armes poétiques de Corneille témoignent suffisamment. Il y a là pour lui une prise directe sur la vie, sur l'amour, sur les femmes convoitées, faciles ou hautaines. La vie puisée dans les livres a sans doute ses vertus, mais elle n'exclut guère l'expérience du vécu, plus brutal, moins édulcoré. Et il ne faut point imaginer de sources livresques pour expliquer que Corneille en soit venu à créer un « *Alidor* [*qui*] *s'insurge contre l'amour soumis et la dictature féminine*[12] » (p. 83[6]). Il s'agit là plutôt de la première réflexion mi-sérieuse mi-plaisante de Corneille sur la relation tendue et parfois douloureuse entre les sexes, sur le rapport fondamental entre l'homme qui désire et la femme qui se fait désirer. Les critiques les plus perspicaces, parmi lesquels Nadal lui-même et Serge Doubrovsky, s'y sont arrêtés sans qu'ils aient éprouvé le besoin de puiser dans un bagage littéraire préalable et explicatif de l'option cornélienne. La fascination avec le complexe alidorien a même poussé Nadal à ne plus voir en Rodrigue, fils lointain d'Alidor, qu'un mâle dominateur et cruel, se livrant à un véritable chantage dans l'ébat ou le débat amoureux. Les pages qu'il consacre au *Cid*, et particulièrement aux entretiens entre les malheureux amants, sont remplies de regrets et de sévérité : la dictature féminine y serait enfin tenue en échec et même bafouée par l'arrogance et la supériorité du mâle : « [...] *il ne cesse de la tourmenter, de provoquer et de consommer sa ruine morale* », et « *il y a du mépris dans cet acharnement de Rodrigue à poursuivre Chimène comme une proie ; il la réduit à merci, ne l'abandonne que vaincue et humiliée.* » (p. 170-1[6]). Sur un même registre, mais avec des variantes sérieuses et des conclusions différentes, Doubrovsky note que « *le lyrisme cornélien débouche non sur le* duo, *mais sur le* duel *des amants.* » (p. 108[13]). Ici comme ailleurs, la relation d'autorité[14] entre le Maître et l'Esclave domine le propos et fait aboutir à la conclusion qu'« *entre Rodrigue, qui se hisse au niveau de la Maîtrise véritable, et Chimène, qui, littéralement en déchoit, la confrontation ne peut plus être qu'un affrontement, la rencontre amoureuse qu'une rencontre guerrière, où s'affirme la domination du plus fort, c'est-à-dire du plus courageux.* » (p. 113[13]). Que ces analyses critiques soient fidèles aux intentions secrètes de Corneille n'a pas été tout à fait démontré, encore qu'on en reconnaîtra la finesse et l'intelligence. La question que l'on peut malgré tout continuer à se poser est la suivante : est-elle si évidente, cette soumission, cette infériorité de la femme, sa déchéance et son humiliation ? Découvrons-nous vraiment un Corneille terriblement misogyne, ou sommes-nous plutôt en présence d'une *lecture* critique qui, étonnamment, tantôt constate et condamne l'arrogance du mâle, et tantôt la sublime, sans que l'on sache au juste ce qui autorise de telles discriminations. En effet, Polyeucte, lui, dont l'insolence verbale est connue, trouve pleine grâce sous la plume de Nadal : « *Existe-t-il au monde un amant qui ne désire pour la femme qu'il aime le mérite le plus éclatant et ne l'orne de tous les avantages ? Par ce mouvement juste Polyeucte s'est approché des plus hautes régions spirituelles et a reconnu des valeurs réelles : respect de la femme, générosité, liberté.* » (p. 213[6]). Mais, dira-t-on, dans l'ordre de l'élévation morale et de la dignité, telles qu'elles seraient perçues par le héros, les souhaits de Rodrigue, ou sa volonté, ne sont peut-être pas moins admirables que les vœux et les prières de Polyeucte. Dans un cas comme dans l'autre, l'initiative de l'action sublime demeure auprès du mâle ; et le monde auquel il demande à la femme d'adhérer est une immuable perception du regard strictement masculin. Ni Rodrigue ni Polyeucte ne cherchent à *comprendre* la femme, ou à pénétrer le monde de l'*Autre* afin qu'il y ait réalisation et plénitude parallèles, plutôt qu'émulation ou absorption.

C'est dire que le regard critique, après tout, risque de devenir exagérément subjectif en jugeant l'action de l'*homme* selon des critères plus ou moins égocentriques. Et c'est ainsi qu'un Rodrigue qui plaît à l'un déplaît à l'autre ; ou qu'un Polyeucte que l'un admire n'est plus qu'un être déchu aux yeux de l'autre : «*Il y a, chez Polyeucte, comme une déperdition d'être*», et «*il ne faut donc pas hésiter à voir dans l'affublement chrétien du projet héroïque un expédient, par lequel le héros tente de réaliser l'impossible*» (p. 260[13]). L'action de Polyeucte n'est plus que «*tricherie*», et son martyre «*une mystification*» (p. 261[13]). L'intérêt qu'offrent des opinions contradictoires est de montrer que le point de vue critique, qu'il se prononce pour ou contre la figure héroïque, a été forcément façonné par l'importance – en grandeur morale, en lâcheté ou en n'importe quoi –, ou par la primauté de la présence mâle. La femme chez Corneille, semble-t--il, ne peut être mesurée ou *comprise* qu'à travers sa soumission ou, le cas échéant, grâce à des qualités dites viriles : on reconnaît en elle «*le principe femelle du Sentiment*», opposé au «*principe mâle de la Maîtrise*» (p. 230[13]), mais elle n'est digne d'admiration ou d'inquiétude que lorsqu'elle vainc l'amant émasculé. Ainsi, Sévère devient «*l'amant trop passionné* [*qui*] *est rappelé à l'ordre. Par un étrange et humiliant renversement, c'est ici la femme qui guide et élève l'homme, ce qui, du point de vue cornélien, est exactement le monde renversé*» (p. 238[13]).

Il faudrait, bien entendu, que cette optique soit bel et bien celle de Corneille, c'est-à-dire celle qui ratifie l'inégalité des sexes, l'homme dominant la femme en tout, en courage, en détermination, en puissance sacrificielle, et en amour, même si ce dernier domaine est tenu plutôt pour femelle ! Disons que Corneille aurait sans doute pu soutenir un tel partage entre hommes et femmes, d'autant plus que toutes les structures sociales et familiales de son temps l'y invitaient. Il suffirait donc de voir en Corneille un parfait enfant de son siècle, ou le mâle de type séculaire, convaincu du bien-fondé de ses prérogatives et de sa supériorité naturelle sur le sexe imbécile[15]. Il reste que même une conviction psychologique n'exclut guère quelque réflexion sur les failles de la discrimination, surtout si cette réflexion doit s'exercer dans une inspiration littéraire qui, a-t-on dit avec emphase, est orientée tout entière vers le « respect amoureux, absolu » de la femme. C'est bien dans ce sens que Nadal a compris et expliqué un aspect des premières comédies cornéliennes[16]. Mais ce n'est quand même que bien plus tard, et surtout à partir du *Cid*, que Corneille, pas moins que ses contemporains, s'est concentré sur la problématique de valeurs traditionnelles perçues comme viriles : la dignité du sang de la race (Rodrigue), la défense de la patrie comme berceau de la race (Horace), la justice éclairée d'une divinité de la terre (Auguste), et jusqu'au sacrifice chrétien réservé à Polyeucte, mais refusé à Pauline. Et dans ces grandes mises en scène d'un héroïsme aussi éclatant que théâtral, la femme pourrait bien n'avoir reçu qu'un rôle passablement effacé, sinon minable : elle aurait été finalement destinée à pleurer et gémir jusqu'à ce qu'elle apprenne à admirer les exploits de la virilité. Ainsi, la femme cornélienne, à moins de devenir criminelle à la manière de Camille ou, mieux encore, comme Cléopâtre, reine de Syrie, mérite surtout compassion ou généreuse condescendance. C'est plus ou moins dans ce sens que se sont alors dirigées la plupart des analyses de la présence féminine dans l'œuvre de Corneille.

À force d'avoir confié la critique littéraire à trop de réflexions masculines sur un théâtre dit viril, une image univoque et peut-être tendancieuse a fini par s'imposer. Cette image n'est pas forcément fausse ou malveillante, au contraire, mais est-elle suffisamment équilibrée ? Sans vouloir transformer le théâtre de Corneille en un théâtre « féminin », ne conviendrait-il pas d'en examiner la figure féminine à la lumière de certaines réalités sociales, culturelles et même légales ? En d'autres mots, de moins confronter la femme dans le théâtre avec la puissance héroïque du mâle, qu'avec la femme de la réalité aristocratique ou bourgeoise. Le héros cornélien reste une fiction ou un modèle irréalisable : Corneille le conçoit comme une création parallèle à son propre « moi » réel, un fantasme exaltant né d'une mégalomanie refoulée, un être de théâtre issu de lui-même, c'est-à-dire de sa condition et de ses rêves d'*homme*. Entre Corneille et ses héros l'identification reste possible et même probable. Dès que le dramaturge crée toutefois un personnage féminin, et se met à dialoguer avec lui, le lien rassurant du « moi » à l'*alter ego* n'existe plus. Avec ses héros Corneille peut encore entretenir un monologue intérieur : il est malgré tout en pays de connaissance, en dépit des énormités qu'il risque parfois de prêter à ses grandioses créations. Par contre, avec ses héroïnes il choisit la mystérieuse relation hétérosexuelle, l'inconnu(e) et l'interrogation. Du parallélisme de la création, Corneille passe à la divergence ; il lui faut cette fois des points de repère, des modèles instructifs. La femme de son théâtre apparaît d'abord comme une pure étrangère : lui prêter la parole, une réflexion, des sentiments et des appétits ne peut se faire qu'à tâtons, guidé par une relative expérience des femmes qu'il a connues, aimées ou haïes. Guidé aussi par l'image un peu floue que la société rouennaise, puis parisienne, lui en offre, ou que l'éducation lui en propose, ou même telle qu'elle apparaît, à la manière d'Épinal, dans des lectures peut-être plus alléchantes que fructueuses. Si la création du héros est à sa manière une expérience personnelle, la création de l'héroïne, elle, relève plutôt de l'apprentissage, de l'exploration et de l'expérimentation. Il y aurait ici quelque tentation à vouloir ressusciter cette charmante Catherine Hue, séduisante dans ses dix-neuf ans, que Pierre Corneille aurait aimée et pour qui il aurait composé *Mélite*, à en croire Thomas Corneille et Fontenelle, l'un ayant quatre ans en 1629, l'autre, comme on sait, né en 1657... Mais ce que Corneille a pu apprendre de Catherine, en dépit « *d'une amour assez grande* »[17], c'est tout simplement qu'un jeune avocat, obscur et de modeste bourgeoisie, roucoule en vain devant certaines jeunes dames de plus haute condition. Catherine confirmait en somme un aspect des contraintes sociales qui pesaient sur toutes les filles à marier, qu'elle aimât ou non Pierre Corneille.

Catherine, ou toute femme bien née, devait d'ailleurs sembler bien distante, et même un peu hautaine, à un jeune Rouennais mal dégrossi et décidé à réussir comme auteur dramatique. Les rumeurs au sujet des femmes n'avaient pas manqué. N'était-il pas entendu, comme l'avait écrit le nonce du pape en 1623, qu'en « *France, toutes les intrigues d'importance dépendent le plus souvent des femmes* » (cité p. 639[18])[19] ? Il est plus probable que Corneille ignora ce propos, mais il ne devait point ignorer la réputation des femmes, qui l'avait inspiré au prélat. C'était donc accorder bien du pouvoir à celles que la loi continuait à assimiler à l'enfant mineur[20], même si elles étaient mariées. La femme avait de quoi surprendre, car quiconque l'observait se voyait confronté avec un étrange paradoxe : d'une part la jeune femme, ou même moins jeune, pouvait être légalement corrigée par son mari, tout comme ses enfants ; d'autre part elle se révélait forte et énergique lorsqu'il s'agissait de mener sa barque, son ménage, voire son royaume. Les Françaises que Corneille rêvait de mettre en scène – compte tenu de la facture et du genre d'œuvre qu'il projetait – avaient « *grandi au milieu de la violence, au sein d'émotions quotidiennes. Comment n'auraient-elles pas acquis une énergie, une résolution aussi précoces qu'aiguës ?* » (p. 640-1[18])[21]. La femme française que Corneille se propose de porter au théâtre est un être fascinant, c'est-à-dire à la fois admirable et alarmant, peut-être même un peu relâché sur un plan strictement moral[22]. En fait, elle inspire parfois autant d'amour que de haine ou de peur. Les lois et la tradition sont contre elle, mais les triomphes discrets et une sorte de supériorité agaçante dans le domaine du cœur lui appartiennent. D'ailleurs, les signes d'inquiétude parmi les hommes qui se sentent sans doute menacés commencent à envahir une littérature assez sérieuse : une thèse présentée à la Faculté de Médecine, en 1620, où on lit : « *Si Dieu avait voulu que la femme fût l'égale de l'homme, il ne l'aurait pas tirée de sa propre côte, mais d'une partie plus noble de son corps.* » (p. 644[18]). On croit rêver... Ou ce propos dans une lettre de Guez de Balzac : « *Tout de bon, si j'étais modérateur de police, j'envoyerais filer toutes les femmes qui veulent faire des livres, qui travestissent l'esprit, qui ont rompu leur rang dans le monde.* » (p. 648 [18]). Ce ton où vibrent de secrètes angoisses est bien celui qui prévaut aussi dans l'*Alphabet de l'imperfection et malice de la femme*, avec lequel, a-t-on dit, « *l'antiféminisme [prenait] une virulence nouvelle en 1617* »[23]. L'arsenal ancien avait du reste gardé sa pleine puissance. L'Antiquité, retrouvée depuis une centaine d'années, avait opportunément rappelé, grâce à Aristote, que « *l'autorité de l'homme est légitime car elle repose sur l'inégalité naturelle qui existe entre les êtres humains* » (cité p. 20[24]). Ainsi, la femme apprit à ses dépens qu'en matière d'autorité maritale et paternelle, son rôle était « naturellement » réduit à l'état d'esclavage. Du côté de la religion chrétienne les choses n'allèrent pas tellement mieux. La Genèse elle-même avait insisté sur sa première dépendance de l'homme, sur sa pleine responsabilité du péché originel, et sur la malédiction éternelle qu'elle avait assurément méritée : « J'aggraverai tes labeurs et ta grossesse, et tu accoucheras dans la douleur. » (cité p. 22[24]).

Que ce soit saint Augustin ou saint Paul, ni l'un ni l'autre ne rehaussaient l'estime que la femme pouvait avoir d'elle-même. Le premier vit en elle « *une bête qui n'est pas ferme, ni stable, haineuse, nourrissante de mauvaiseté... elle est source de toutes les discussions, querelles et injustices* » (cité p. 22[24])[25]. Le second, a-t-on noté (p. 23[24]), a été plus conciliant puisqu'il reconnaissait à l'homme et à la femme les mêmes droits et les mêmes devoirs. Cette égalité que préconisait saint Paul n'excluait toutefois pas la nécessité de la soumission de la femme : l'Épître aux Éphésiens ne contient aucune ambiguïté à ce sujet : soyez « soumis les uns aux autres dans la crainte du Christ. Que les femmes le soient à leurs maris, comme au Seigneur ; CAR LE MARI EST LE CHEF DE LA FEMME comme le Christ est le chef de l'église, lui, le sauveur du corps. Mais comme l'église est soumise au Christ, QU'AINSI LES FEMMES LE SOIENT AUSSI EN TOUT À LEURS MARIS. »[26]. Quand on sait que cet enseignement était répété chaque fois qu'il y eut cérémonie de mariage[27], on a quelque idée de la ténacité des convictions traditionnelles. Il suffisait d'ailleurs de consulter, comme tout le monde le fit au XVIIe siècle, l'admirable *Introduction à la vie dévote* de saint François de Sales, pour être convaincu de la nécessaire discrimination sexuelle. Certaines recommandations sont irréprochables : « *Le premier effet de cet amour* [il s'agit de l'amour conjugal], *c'est l'union indissoluble de vos cœurs* », et « *Le second effet de cet amour doit être la fidélité inviolable de l'un à l'autre* ». Suit toutefois un long passage, digne d'être reproduit, qui renchérit carrément sur les paroles de saint Paul :

Conservez donc, ô maris, un tendre, constant et cordial amour envers vos femmes : pour cela la femme fut tirée du côté plus proche du cœur du premier homme, afin qu'elle fût aimée de lui cordialement et tendrement. Les imbécillités et infirmités, soit du corps soit de l'esprit de vos femmes ne vous doivent provoquer à nulle sorte de dédain, ains plutôt à une douce et amoureuse compassion, puisque Dieu les a créées telles afin que, dépendant de vous, vous en reçussiez plus d'honneur et de respect, et que vous les eussiez tellement pour compagnes que vous en fussiez néanmoins les chefs et supérieurs. Et vous, ô femmes, aimez tendrement, cordialement, mais d'un amour respectueux et plein de révérence, les maris que Dieu vous a donnés ; car vraiment Dieu pour cela les a créés d'un sexe plus vigoureux et prédominant, et a voulu que la femme fût une dépendance de l'homme, *un os de* ses *os, une chair de* sa *chair* [...] et toute l'Écriture Sainte vous recommande étroitement cette sujétion, [...].[28]

Ces déclarations de principes et ces jugements, répétés sans cesse, n'étaient ignorés de personne, y compris de Corneille. La lecture de François de Sales maintenait une image de la femme soumise, inférieure, faible d'esprit et d'intelligence, vouée à servir un maître, obéissante à ses parents, surtout au père, et à son mari, nouveau maître et seigneur[29], véritable substitut pour le père qui lui confia, ou lui donna sa fille. Image d'une réalité sociale, légale et théologique, mais constamment contredite dans la vie de tous les jours par la vitalité et l'ascendant qui émanaient de ces faibles créatures, maîtresses de rois et de princes, intrigantes efficaces à la cour comme à la ville. Contredite aussi par ces femmes qui recevaient, avec superbe, nobles et poètes, et leur imposaient avec autorité un nouveau style de vie, une nouvelle galanterie et un nouveau langage[30]. Au moment où Corneille commence à faire parler de lui, grâce à *Mélite*, la femme française qu'il souhaitait mieux connaître domine la vie culturelle des grandes villes, y dicte plus ou moins ses volontés et ses caprices, arrache des madrigaux et des soupirs pleins d'espoir, et, sous des dehors doucereux, laisse deviner une supériorité d'âme dont hériteront bientôt les célèbres Frondeuses. On comprend que la femme française soit devenue en ce début de siècle un sujet d'amour ou de haine, un sujet de débats, de préjugés, de reproches ou, chez quelques-uns, d'idolâtrie. C'est le paradoxe entre ce qu'elle devrait être et ce qu'elle est, sous les yeux d'un jeune dramaturge ébloui, qui alimente désormais le mystère féminin et, en même temps, l'imagination créatrice.

2

EXCURSION AU PARADIS DES DAMES : *MÉLITE OU LES FAUSSES LETTRES*

MÉLITE OU LES FAUSSES LETTRES, son premier coup d'essai dramatique, ne dément guère la fascination que la jeune femme française exerce sur Pierre Corneille. À l'âge de vingt-trois ans, Corneille l'écrivain se conduit à la fois en amoureux – Mélite a sans doute quelques traits de la délicieuse Catherine –, en admirateur des femmes, et, en dépit du modernisme du mot, en féministe discret. En effet, Corneille s'est arrêté à un canevas sans maris ni pères exigeants, éliminant du coup le problème de l'autorité maritale ou parentale. Il ne reste que deux jeunes femmes, qui s'entendent à merveille, toutes deux sensibles aux hommages, et trois jeunes gens qui se disputeront les faveurs de ces dames d'une façon quelque peu désordonnée sinon confuse. C'est déjà le jeu de l'amour et du hasard : Éraste convoite Mélite qui, elle, apprend à soupirer pour Tircis qui le lui rend bien. Philandre est amoureux de Cloris, sœur de Tircis, mais il devra céder la place à Éraste. L'intérêt des confrontations amoureuses est moins dans l'ingéniosité douteuse de Corneille que dans la typologie des personnages en présence. Corneille a choisi d'écrire une comédie, ou, si l'on préfère, de faire rire ou sourire son premier auditoire. De son propre aveu il néglige (presque) les ressources traditionnelles du genre comique, trop proches, selon lui, de la farce grossière. Il fallait donc qu'il mise soit sur un comique de mots, soit sur un comique de situations, soit enfin, sur un comique de traits caractériels. On sait que ni les bons mots ni les situations hilarantes n'abondent dans les comédies cornéliennes ; la muse de Molière n'est pas encore née. C'est dès lors du côté de la psychologie féminine ou masculine, l'une se mesurant à l'autre, que devait se résoudre la question du comique, du plaisant et du rire approbateur. Prenons-y garde : on peut rire *avec* des personnages qui ne sont point ridicules, mais on rit *de* personnages qui le sont toujours, soit qu'ils caricaturent un trait ordinaire, soit qu'ils subissent l'ironie ou le cynisme de leur auteur. C'est dans cette dernière voie que Corneille a engagé exclusivement ses trois personnages masculins, qu'il les a poussés, avec une intensité variable, marquant ainsi la constance du ridicule chez un homme amoureux, ne lui épargnant aucune risée, aucun trait humiliant ou abêtissant. Dans le duel amoureux les premières femmes de Corneille triomphent par la grâce, l'intelligence et la dignité, en face de piteux adversaires, pitres ou fanfarons, mauvais joueurs ou poltrons. Décidément, ces Mélite ou ces Doris mériteraient mieux, mais il faut bien que la comédie aboutisse à des mariages prometteurs, surtout en début de carrière. Ces filles de Corneille ont une allure et un charme assuré qu'elles ne perdront jamais, même lorsqu'elles auront à combattre sur une scène plus tragique contre les Rodrigue, les Horace ou les Polyeucte. Et le féminisme de Corneille est né dès l'instant où la femme de son théâtre aura raison contre l'homme, et qu'elle aura raison de lui[31] !

Tircis a été le plus épargné : il ne gravit que les premiers échelons du ridicule. Il se présente tout d'abord comme le mâle avisé, et que l'amour n'affectera point :

> Pauvre amant, je te plains, qui ne sais pas encore
> Que bien qu'une beauté mérite qu'on l'adore,
> Pour en perdre le goût, on n'a qu'à l'épouser.
> Un bien qui nous est dû se fait si peu priser,

> Qu'une femme fût-elle entre toutes choisie,
> On en voit en six mois passer la fantaisie. (vv. 81–86)

Toutes les expressions de la supériorité domjuanesque sont présentes : une femme doit *mériter* d'être aimée, puis elle devient un *dû*, que l'homme a *choisi entre toutes*, mais ce n'est là qu'un jeu éphémère, une *fantaisie* passagère ! La seule réalité que Tircis reconnaisse est celle d'une union rentable :

> C'est comme il faut aimer. L'abondance des biens
> Pour l'amour conjugal a de puissants liens, (vv. 115-116)

> L'argent dans le ménage a certaine splendeur
> Qui donne un teint d'éclat à la même laideur. (vv. 123-124)

Tircis ne serait donc qu'un vilain petit coureur de dot, qui se complaît dans l'arrogance de sa virilité et dans le mépris de la femme et de l'amour. Mais à peine ce Matamore (le titre lui convient, bien avant *L'Illusion comique*) a-t-il aperçu Mélite, qu'il en perd son agressivité sournoise, ses résolutions et son flegme. Confronté avec une femme parfaitement sûre de ses charmes, Tircis n'est plus qu'un objet de ridicule et d'ironie cinglante :

> Un ennemi d'Amour me tenir ce langage ! [*lui lance Mélite*]
> Accordez votre bouche avec votre courage,
> Pratiquez vos conseils, ou ne m'en donnez pas. (vv. 197–199)

Et

> Pour voir si peu de chose aussitôt vous dédire
> Me donne à vos dépens de beaux sujets de rire,
> Mais je pourrais bientôt, à m'entendre flatter,
> Concevoir quelque orgueil qu'il vaut mieux éviter.
> Excusez ma retraite. (vv. 205–209)

Ainsi, à la fanfaronnade des amants volages Mélite oppose la lucidité de son regard. Aux empressements des gestes amoureux, aux hyperboles des paroles enflammées, elle oppose la modestie et le sourire moqueur. Les premières passes d'armes ont laissé les hommes ébahis et désarçonnés. Mélite sait déjà ce qu'elle veut et qui elle veut : cette cornélienne qui vit sous le règne de Louis XIII serait bien la première femme libérée du théâtre français.

On sait que le rôle de Tircis s'adoucit quelque peu à partir du moment où Mélite éprouve pour lui de l'amour ; c'est la femme amoureuse qui réhabilite et valorise l'élu de son cœur, l'amant pris au piège. Il fallait que Corneille lui réserve un galant plus ou moins digne d'elle, encore qu'il n'est pas toujours très tendre pour Tircis. C'est sans scrupule aucun que Tircis trahit son ami Éraste ; et si Tircis craint encore la rivalité, c'est parce qu'Éraste est plus fortuné que lui : il prétend, devant Cloris, balancer entre l'amour et l'amitié, mais la vérité est ailleurs :

CLORIS

C'est donc assurément son bien qui t'est suspect,
Son bien te fait rêver, et non pas son respect,
Et toute amitié bas, tu crains que sa richesse
En dépit de tes feux n'obtienne ta maîtresse.

TIRCIS

Tu devines, ma sœur ; cela me fait mourir. (vv. 541-545)

Le souci que se fait Tircis pour l'argent des autres, et les avantages qu'il procure dans les affaires du cœur, non seulement dénonce un degré de petitesse chez le personnage soucieux des biens, mais aussi un esprit mercantile que Corneille, par la bouche de Mélite, réprouve sans équivoque. Il est vrai qu'on aurait pu croire un instant que le goût de la fortune – en écus sonnants – n'était qu'un trait acceptable d'un réalisme social et bourgeois, mis en pratique par un Corneille débutant[32]. Les âmes romanesques verraient même dans l'évocation de la puissance pécuniaire un reflet des rancœurs de Pierre Corneille, amoureux dépité et évincé de la liste des soupirants de Catherine Hue. Nos renseignements biographiques à ce sujet étant à peu près nuls, mieux vaut ne pas rêver, et reconnaître que Corneille accable également le ridicule Éraste du même défaut. Ce dernier, en effet, après avoir été prestement mis à sa place par Mélite (II, 2) préparera son hypocrite vengeance en chargeant Cliton, voisin de Mélite, de l'exécution ; l'attrait de l'argent, selon Éraste, assurera le succès de l'entreprise :

> L'esprit fourbe et vénal d'un voisin de Mélite
> Donnera prompte issue à ce que je médite.
> À servir qui l'achète il est toujours tout prêt,
> Et ne voit rien d'injuste où brille l'intérêt.
> Allons sans perdre temps lui payer ma vengeance,
> Et la pistole en main presser sa diligence. (vv. 465-470)

Le contraste, à ce point de vue, entre l'attitude de Tircis et d'Éraste, et celle de Mélite est frappant et probant. Il ne suffit pas que Tircis ait mal jugé la femme amoureuse, comme si elle ajustait ses sentiments à l'ampleur des biens. C'est là d'ailleurs une tactique dont Corneille réserve le goût à un personnage de farce, la nourrice, c'est-à-dire un personnage vulgaire et de médiocre condition morale. Corneille insiste sur la dignité et sur la sincérité de la femme, refusant avec passion de voir en elle un esprit cupide[33], au moment surtout où se pose le problème du choix entre les deux prétendants. La solution offerte par la nourrice est facile :

> LA NOURRICE
> [*en parlant d'Éraste*]
>
> [...]
> Il a deux fois le bien de l'autre, et davantage.
>
> MÉLITE
>
> Le bien ne touche point un généreux courage.
>
> LA NOURRICE
>
> Tout le monde l'adore et tâche d'en jouir.

MÉLITE

Il suit un faux éclat qui ne peut m'éblouir.

LA NOURRICE

Auprès de sa splendeur toute autre est fort petite.

MÉLITE

Tu le places au rang qui n'est dû qu'au mérite.

LA NOURRICE

On a trop de mérite, étant riche à ce point.

MÉLITE

Les biens en donnent-ils à ceux qui n'en ont point ?

LA NOURRICE

Oui, ce n'est que par là qu'on est considérable.

MÉLITE

Mais ce n'est que par là qu'on devient méprisable.
Un homme dont les biens font toutes les vertus
Ne peut être estimé que des cœurs abattus.

LA NOURRICE

Est-il quelques défauts que les biens ne réparent ?

MÉLITE

Mais plutôt en est-il où les biens ne préparent ?
Étant riche, on méprise assez communément
Des belles qualités le solide ornement,
Et d'un luxe honteux la richesse suivie
Souvent par l'abondance aux vices nous convie. (vv. 1127–1144)[34]

Ainsi, la vraie noblesse de cœur est auprès de la femme amoureuse, libre de plaire à ce qui lui plaît, libre dans le choix de ses amants, et libérée enfin de toute obligation familiale et, curieusement, morale[35], du moment que triomphe le sentiment. Image presque redoutable de la femme souveraine, si fausse sans doute dans un contexte social élargi, mais souhaitable néanmoins aux yeux de Corneille, séduit par la femme mondaine, maîtresse d'elle-même et des autres.

Le procès de Tircis et les accusations portées contre lui sont cependant modérés si on les compare avec le sort que Corneille réserve à Éraste et Philandre. Éraste illustre l'excès : excès en amour, en colère ou en esprit de vengeance. Il est littéralement *l'homme que l'on n'épouse pas* : trop prompt à aimer ou à haïr, inquiétant dans ses ruses, dangereux et menaçant, confiant en la seule puissance de l'argent. Longtemps avant Oreste, autre amant maladroit qui sombre dans la folie, Éraste est entraîné à la démence, en partie à cause du remords qu'il éprouve d'avoir causé, croit-il, la mort de Mélite, mais surtout parce qu'il mérite la juste punition d'un fourbe qui est indigne d'aimer ou d'être aimé[36]. À ne s'en tenir qu'à la *lecture* du rôle, on pourrait croire qu'Éraste a été poussé du côté tragique – comme plus tard, bien entendu, cet Alidor de *La Place Royale* –, sinon sur une pente pathétique ; mais Corneille a dû se fier à l'interprétation qu'en donnerait la troupe de Montdory et aux ressources gestuelles de sa création. Non content de le *montrer* comme un amoureux transi, puis maladivement jaloux, avec roulement d'yeux ou œillades forcées et gestes désordonnés, Corneille le *montre* aussi dans une folie délirante et mythologiquement inspirée[37], caricaturale enfin dans l'expression de ses douleurs et de ses égarements ; la folie d'Éraste aboutit d'ailleurs à une indication scénique tirée en droite ligne de la tradition de la farce : *« Il se jette sur les épaules de Cliton, qui l'emporte derrière le théâtre » (IV,6, fin). Qu'on le veuille ou non, le deuxième personnage masculin de *Mélite* est un bouffon, incapable d'échapper aux sarcasmes de Corneille ou au mépris des femmes. La seule femme qui se sente solidaire de lui est la Nourrice : dernier trait ironique qui lie Éraste à ses propres origines de farce et qui, en dépit des apparences, l'abaisse plus qu'il ne l'élève. La Nourrice lui propose Cloris comme amante de rechange, mais Cloris a des réserves. Dans ce curieux dénouement de *Mélite* se développe tout à coup le troc le plus amoral qui soit : Corneille copie cette fois la réalité sociale de son temps et de son milieu, où l'on traitait les filles à marier comme une marchandise docile et négociable. Tircis, le frère aîné, devient soudain la figure parentale de l'autorité, satisfaite de son propre sort mais souhaitant néanmoins quelque bénéfice supplémentaire grâce à l'alliance avantageuse de sa sœur (« *fille* ») avec Éraste. Sa mauvaise foi est évidente : « *Tu sais bien que jamais je ne te fus contraire* », dit-il à Cloris qui lui demande son avis sans enthousiasme (v. 1772). Mais Cloris insiste sur le devoir de son autorité : « *Tu sais qu'en tel sujet ce fut toujours de toi / Que mon affection voulut prendre* LA LOI. » (vv. 1773-1774). L'occasion est belle : Tircis feint de se soumettre tout entier aux désirs de sa sœur, tournés, prétend-il, vers l'infortuné Éraste :

> Encor que dans tes yeux tes sentiments se lisent,
> Tu veux qu'auparavant les miens les autorisent.
> Parlons donc pour la forme. Oui, ma sœur, j'y consens,
> Bien sûr que mon avis s'accommode à ton sens. (vv. 1775-1778)

Rien n'est cependant moins assuré. Cloris temporise avec fermeté. Elle ne prononce pas un mot qui ferait croire qu'elle aime, même un peu, ce ridicule Éraste. Mais l'autorité parentale la poursuit, insidieuse, dure et tenace : Mélite, déjà épouse de ce frère-père, voudrait que Cloris soit la juste compensation pour les torts qu'Éraste a subis, et Tircis ose même rendre sa sœur responsable du « *comble de* [*leurs*] *plaisirs* » (v. 1798). Dans un cas comme dans l'autre, le chantage moral est parfaitement exécuté : il appartient à Cloris de réaliser le bonheur de tous, sauf le sien ! Cet effrayant tableau de la contrainte parentale possède un réalisme cruel auquel Corneille, semble-t-il, fut extrêmement sensible. En effet, *in extremis*, il sauve Cloris de l'emprise sociale en lui prêtant, d'une part un refus décidé, et d'autre part une échappatoire qui est promesse de liberté. À Éraste, et indirectement à Tircis, dont elle avait prétendu « prendre la loi », elle réplique : « EN VAIN *en ta faveur* [celle d'Éraste] *chacun me sollicite* » (v. 1803), et à tous elle promet de se fier à cette mystérieuse et invisible mère de Mélite, vague figure lointaine d'une autorité contestable, comme en avait témoigné le propos même de Mélite :

MÉLITE *(à Tircis)*

Je dois tout à ma mère et pour tout autre amant
Je voudrais tout remettre à son commandement ;
Mais attendre pour toi l'effet de sa puissance,
Sans te rien témoigner que par obéissance,
Tircis, ce serait trop : tes rares qualités
Dispensent mon devoir de ces formalités. (vv. 713–718)

La liberté de Cloris reste donc entière, prélude heureux à cette liberté douloureuse que réclamera un jour, contre tous et surtout contre son amant, l'admirable Chimène.

Dans ce climat où les femmes triomphent parce que les hommes sont des sots, le rôle de Philandre, troisième amoureux battu en brèche, confirme les premières options de Corneille : Philandre, plus que Tircis et même plus qu'Éraste, sera ridiculisé jusqu'au sacrifice. Il est crédule et naïf, il disserte avec emphase et prétention, il se croit un titan de l'amour, mais il est aussitôt terrassé. De courage il n'en a point : Tircis le provoque en duel (III, 2) et il refuse le combat ; mais survienne Cloris, et Philandre en fureur feint d'être l'agresseur (III, 6) ! Cette girouette est aussi un poltron, et malgré l'insistance de Mélite, Cloris ne lui accordera ni sourire ni pardon : « *À volage, volage, et dédain pour dédain.* » (v. 1694). Cloris résume d'ailleurs sa supériorité féminine sur ce soupirant de farce par les derniers mots qu'elle lui adresse :

PHILANDRE

Il suffit :
Je sais comme on se venge.

CLORIS

Et moi comme on s'en rit. (vv. 1605-1606)

Est-ce à dire que les premières filles cornéliennes furent des anges de vertu, d'intelligence et de sensibilité ? Corneille serait le dernier à l'affirmer, lui qui les avait observées dans la vie et peut-être sur les tréteaux lorsqu'elles jouèrent les œuvres de Hardy : « [...] *les filles de Hardy, comme d'ailleurs les garçons, mais à un degré moindre, montrent une sorte de personnalité altière, une façon à la fois prudente et hardie de s'engager à fond avec l'être de leur choix* » (p. 99[6]). Ainsi, cette volonté de la liberté qui les habite n'est pas une pure invention de Corneille ; elle circule parmi une jeunesse avide de vivre et d'aimer, comme elle se manifeste dans le théâtre des plus grands : outre-Manche chez Shakespeare, et en France chez Alexandre Hardy. Ces filles vivent donc en un constant état de rébellion ; elles se sont naturellement préparées à lutter contre un choix imposé ; elles sont d'autant plus agressives qu'elles éprouvent déjà le sort qu'on leur réserve : « [...] *le courage, la ruse, le mensonge deviennent des armes* » (p. 99[6]) ! Corneille les a conçues comme des êtres menacés et il les a aimées dans leurs luttes et dans leur résistance. De là ces fâcheuses impressions chez ses lecteurs un peu choqués, qui estiment que les filles de Corneille sont à la fois trop froides, trop cyniques, moqueuses et parfois acides ; que leur constance est fragile ou que leurs mépris sont intraitables ; qu'elles sont vaniteuses ou menteuses, méchantes à l'occasion, immorales s'il le faut. En fait, le réalisme de Corneille risque d'offenser l'image et le préjugé d'une féminité toute en douceur, en délicatesse et en pudeur. Corneille peint des filles sur les barricades, aux appétits sensuels mais toujours animées d'une saine méfiance : il s'agit, pour elles, de miser juste, ou même de frapper juste, car, comme le rappelle Cloris à propos d'un amant qui lui fut promis :

Il m'est avantageux de l'avoir vu changer,
Avant que de l'hymen le joug impitoyable,
M'attachant à lui, me rendît misérable :
Qu'il cherche femme ailleurs, tandis que de ma part
J'attendrai du destin quelque meilleur hasard. (vv. 1686–1690)

La combativité des premières jeunes femmes cornéliennes, avec tout ce qu'elle comprend de désagréable pour le mâle offusqué, n'est donc que la défense légitime d'un féminisme alarmé contre les conventions sociales et morales d'une époque. Sans se douter combien il disait vrai, La Bruyère, soixante ans plus tard, rappelait que Corneille avait « *peint les hommes* [et les femmes] *comme ils* devraient *être* »[38]. La femme cornélienne que l'on découvre dans les premières comédies relève, certes, davantage d'un souhait que d'une obligation morale. Elle a été créée pour triompher, et afin que les choses deviennent plus claires, Corneille l'oppose, un peu maladroitement, et trop ostensiblement, à des hommes amoureux, volages et ridicules, proies faciles et cible constante de l'ironie féminine.

3

PROFIL DES PREMIÈRES HÉROÏNES CORNÉLIENNES

Les comédies qui suivirent *Mélite* n'ont point démenti l'image ni les espérances de la jeune femme amoureuse, résolue et batailleuse, révoltée contre l'autorité, rusée dans la défense de son bonheur et de sa vie. Les premières héroïnes cornéliennes ne se ressemblent pas toujours, comme tirées d'un même moule, mais elles ont quand même toutes quelques traits en commun : elles aspirent à leur liberté et à l'épanouissement de leur vie intérieure ; elles réclament toutes le droit d'exister en dehors des contraintes, en dépit des règles, du respect de l'aîné ou de l'amour filial. Attentive à la reconnaissance de ses désirs intimes, à l'émancipation même de sa nature féminine, à la possibilité de vivre, enfin, non comme fille, femme ou maîtresse, mais en étant pleinement elle-même dans ses choix, ses erreurs et sa destinée, la femme cornélienne, de *Mélite* à *Polyeucte*, et parfois au-delà, est une « frondeuse » d'instinct et de vocation.

Nous disons « parfois au-delà » parce que la femme cornélienne subit une transformation assez considérable à partir de *Pompée*. Ou elle se « virilise » à outrance, comme Cornélie ou Cléopâtre d'Égypte, ou elle se durcit dans ses ambitions politiques, comme la reine de Syrie (*Rodogune*), Cléopâtre, ou Sophonisbe, voire Viriate (*Sertorius*). La politisation de l'œuvre, à partir de *La Mort de Pompée*, et jusqu'à *Suréna*, compromet régulièrement toute thématique sérieuse de la femme en quête de liberté.

Bérénice, dans *Tite et Bérénice*, aurait pu devenir une exception si elle avait eu moins de vanité, ou, si l'on préfère un vocabulaire plus cornélien, moins d'orgueil. Elle a le goût d'une gloire gratuite, un peu à la manière d'Alidor dans *La Place Royale*. Elle triomphe de Tite, de Rome et du Sénat, comme Rodrigue a cru triompher de Chimène, ce qui ne fait qu'accentuer la virilisation de Bérénice[39].

Il serait fastidieux d'entrer dans le détail de toutes les œuvres cornéliennes qui révèlent le visage rayonnant d'espoir de la femme en voie de libération : les comédies ne méritent ni cette insistance, ni cet éclairage peut-être trop exclusif ; la comédie de Corneille, concédons-le, pèche par une certaine médiocrité d'intrigue et d'exécution, voire par une obscure notoriété. Il faut y opérer un choix à la suite du schème thématique que l'on a pu dégager de *Mélite*. Il faut les amputer de leur fatras romanesque et des imbroglios inénarrables. Il ne faut plus y entendre que les plaidoiries de quelques femmes menacées ou désespérées, non parce que leurs cris, leurs plaintes ou leurs reproches auraient pu être, jadis comme aujourd'hui, l'essentiel du « message » cornélien – on doute même qu'il en fût ainsi –, mais parce que l'émancipation d'un être humain reste au cœur d'une philosophie de l'existence, et demeure, en outre, l'épicentre de toutes les grandes perturbations sociologiques, nécessaires et irréversibles. C'est dans cet ordre d'idées que le portrait de la première femme cornélienne émerge d'une œuvre trop exclusivement vouée par la critique aux vastes visions héroïques d'un monde essentiellement viril. C'est encore dans le même ordre d'idées que les comédies dépassent enfin le simple avertissement, et que les personnages comme Doris, dans *La Veuve*, Amarante, dans *La Suivante*, et Angélique, dans *La Place Royale*, illustrent les premiers spasmes d'un mouvement libératoire féminin, ou les premiers désordres dans un ordre mâle prétendument parfait.

Mais, dira-t-on, n'était-ce pas simplement une intention velléitaire de Corneille que de confier un rôle à la fois émouvant et instructif aux premières femmes de son théâtre ? Et n'est-il pas vrai que toutes les promesses de l'apprenti féministe vont se dissiper dès l'instant où Guilhem de Castro, le farouche Espagnol, prête à Corneille le modèle irrésistible de sa Chimène française ? Rien n'est moins sûr, car Chimène, précisément, en dépit des apparences et des reproches dont elle a toujours été l'objet, est venue confirmer les secrètes sympathies de Corneille. *Le Cid*, grâce à Chimène, fougueuse et déterminée, prolonge une voie préalablement empruntée, une perspective presque inattendue où la femme ne se découvre ni humiliée ni méprisée, mais forte et, sinon heureuse, du moins libre dans le choix de son destin. C'est cette continuité, des comédies jusqu'au *Cid*[40], que nous avons voulu préciser ici.

4

LA FEMME CORNÉLIENNE ET L'ÉPREUVE DE LA LIBERTÉ

L'EXEMPLE de Doris, dans *La Veuve*, est presque trompeur.

Clarice, veuve, est aimée d'Alcidon, un fourbe, et de Philiste, frère de Doris. Alcidon prétend aimer Doris. Philiste déclare enfin sa flamme à Clarice, et elle y répond, ravie. Pour se venger, Alcidon fait enlever Clarice, mais il est finalement démasqué et obligé de battre définitivement en retraite. Doris épousera Célidan, vieil ami d'Alcidon.

En effet, Doris excelle dans l'art de l'équivoque, ce qui est sa manière à elle de se défendre. En compagnie de sa mère, Chrysante, elle proclame à la fois, et dans un même souffle, sa liberté *et* son obéissance à l'autorité maternelle : elle n'épousera point Alcidon, qui a « l'âme à deux visages », mais elle attend patiemment que sa mère ait fait son choix qui est, ni plus ni moins, Alcidon !

DORIS
Mais mon cœur se conserve au point où je le veux,
Toujours libre, et qui garde une amitié sincère
À celui que voudra me prescrire une mère.

CHRYSANTE
Oui, pourvu qu'Alcidon te soit ainsi prescrit !

DORIS
Madame, puissiez-vous lire dans mon esprit !
Vous verriez jusqu'où va ma pure obéissance. (vv. 160-165)

Le dernier trait est ironique car on sait déjà que Doris est bien décidée à ne jamais épouser Alcidon. Elle joue toutefois le jeu de la soumission devant une mère toujours prête à céder aux manigances de sa fille, du moment qu'elle flaire quelque fortune alléchante. Doris peut donc lui dire en toute quiétude : «*mon vertueux désir / Attend toujours celui que vous voudrez choisir*» et que son «*vouloir du* [s]*ien absolument dispose*» (vv. 175-177), quitte à lui peindre plaisamment un nouveau parti, le risible Florange, qui plaît parce qu'il «*est nouveau venu des universités*», et qu'il est «*après tout fort riche*»! Chrysante n'a plus qu'à tomber dans le panneau, assurée qu'elle est de l'obéissance de sa fille : «*Elle suivra mon choix* [dit-elle à Géron] / *Et montre une âme prête à recevoir mes lois*» (vv. 279-280). Il va de soi que le pouvoir de la mère est complètement bafoué par l'astucieuse Doris : la duperie et la finesse dans l'équivoque sont ses armes redoutables. La relation d'autorité entre la fille et la mère ne serait en réalité qu'un épisode amusant et sans grande importance sur le plan social, si cette même autorité maternelle n'était pas défiée et même niée par le péremptoire Philiste, frère de Doris et figure substitutive du père absent. Le rôle de Tircis, dans *Mélite*, a été prolongé par le personnage de Philiste. Ce dernier pose le vrai problème du choix imposé par les parents, mais cette fois avec une détermination inquiétante, éliminant du coup le côté frivole et presque fantaisiste de la soumission filiale de Doris. Philiste ne manifeste d'ailleurs aucun respect pour sa mère :

> Les femmes de son âge ont ce mal ordinaire
> De régler sur les biens une pareille affaire :
> Un si honteux motif leur fait tout décider,
> Et l'or qui les aveugle a droit de les guider :
> [...]
> Je lui fis bien savoir que mon consentement
> Ne dépendrait jamais de son aveuglement, (vv. 911-918)

Sans le moindre scrupule, il défie Chrysante. C'est qu'il est absolument convaincu de son bon droit. Sa mère a beau plaider en faveur de Doris, demandant à son fils s'il veut à tout prix « *forcer son inclination* » (v. 1065), et lui rappelant que Doris ne faisait que se contraindre « *seulement pour* [*lui*] *plaire* » (v. 1068). Philiste reste cependant intraitable : « *Elle doit encore se contraindre pour moi* » (v. 1069), répond-il, car même si Chrysante s'imagine que Doris ne « *doit aucune obéissance* » (v. 1075) à son frère, il insiste que « *Sa promesse* [à Alcidon] [*lui*] *donne entière puissance* » (v. 1076). Dans cet extraordinaire dialogue entre la mère et son fils, la promesse de l'honneur l'emporte afin que la dignité du mâle puisse rester intacte. Doris n'est plus qu'une victime mal soutenue par sa mère, littéralement sacrifiée au code inflexible de la solidarité masculine. Chrysante, si ridiculement confiante dans les effets de son autorité, se résout à verser des larmes dans l'espoir « *d'amollir* [*le*] *courage* » (v. 1092) impitoyable de son fils. La comédie prend des allures de drame bourgeois. Doris, enfin, pourra éclater en reproches et en récriminations, surtout après avoir entendu Alcidon dont elle a sans doute deviné la profonde misogynie[41] :

> Qu'aux filles comme moi le sort est inhumain !
> Que leur condition se trouve déplorable !
> Une mère aveuglée, un frère inexorable,
> Chacun de son côté, prennent sur mon devoir
> Et sur mes volontés un absolu pouvoir. (vv. 1546–1550)
> [...]
> Dure sujétion ! étrange tyrannie !
> Toute liberté donc à mon choix se dénie ! (vv. 1559–1560)
> [...]
> Cependant il y va du reste de ma vie
> Et je n'ose écouter tant soit peu mon envie ;
> Il faut que mes désirs, toujours indifférents,
> Aillent sans résistance au gré de mes parents,
> Qui m'apprêtent peut-être un brutal, un sauvage :
> Et puis cela s'appelle une fille bien sage !
> Ciel, qui vois ma misère et qui fais les heureux,
> Prends pitié d'un devoir qui m'est si rigoureux ! (vv. 1563–1570)

Ce qu'il faut à cette fille, c'est un mari qui, du moins verbalement ou par amour sincère, sache respecter sa liberté. Vue utopique peut-être et, diront d'aucuns, assurément trop moderniste. Corneille, toutefois, y avait déjà songé, lui qui ménage quelques instants entre Doris et Célidan, amoureux d'elle et disposé à lui montrer des égards :

DORIS

Je ne sais qu'obéir, et n'ai point de vouloir.

CÉLIDAN

Employez contre vous un absolu pouvoir !
Ma flamme d'y penser se tiendrait criminelle. (vv. 1777-1779)

Une fois de plus, la comédie cornélienne qui risque parfois de tourner au drame finit par d'heureuses réconciliations. Alcidon n'en sera guère car, contrairement à Éraste, il aura poussé sa fourberie et sa misogynie jusqu'à une impardonnable extrémité : en cela il annonce Alidor de *La Place Royale*. Le triomphe revient à ceux qui ont aimé avec sincérité et naïveté, qui ont surmonté les inégalités de la fortune[42] ; et à celle qui, comme Doris, après une galerie d'amants – Alcidon, Florange et, enfin, Célidan – se délecte dans un choix sans contrainte et dans le plaisir intime d'avoir réussi l'épreuve de sa liberté[43].

Dans *La Suivante*, le rose légèrement ombré de *La Veuve* vire carrément à la grisaille.

Théante, amoureux de Daphnis, veut se débarrasser d'Amarante, la suivante de Daphnis, et depuis un temps la maîtresse de Théante. Ce dernier songe à pousser Amarante dans les bras de Florame, mais ce dernier tombe amoureux de Daphnis qui le lui rend bien. Amarante, qui aime aussi Florame, fait croire alors au père de Daphnis, Géraste, que sa fille aime Clarimond. Sans nommer Clarimond, Géraste dit à sa fille qu'il consent à son mariage avec l'homme qu'elle aime. Daphnis croit qu'il s'agit de Florame ! Mais voilà que Géraste a l'œil sur Florise, sœur de Florame. Il annonce à sa fille qu'il lui destine un autre mari – en réalité,

Florame ! – mais sans le nommer. Désespoir de Daphnis et de Florame alors que la suivante entretient les malentendus. Théante tente enfin de provoquer un duel entre Florame et Clarimond, mais il apprend qu'il doit assister Florame, et il fuit. Une explication entre Géraste, Daphnis et Florame éclaire tout, y compris les manigances de la suivante. Amarante est malgré tout pardonnée.

L'esprit de duperie et de mensonge acquiert cette fois une amertume qui ne fera grimacer que les plus cyniques. Personne n'est vraiment irréprochable, et le monde primesautier et enjoué des comédies précédentes a été transformé en un théâtre d'insouciance morale. Ou Corneille confond réalisme et cynisme de la manière la plus insolente[44], ou il compose sa nouvelle comédie à des moments intimes de révolte et de dégoût, et, certes, en témoin désabusé d'un ordre social qui refuse de se libéraliser. Le titre même de l'œuvre étonne par sa portée : la « suivante » est bel et bien cette domestique faussement promue en dame de compagnie, une personne à gages, une subalterne à qui on laisse les miettes, ou les restes de ce qu'aura consommé une société dite de qualité et de rang. La Suivante, qui donne son titre et sa fonction à la comédie, reste l'être marginal à qui l'on pardonne finalement avec condescendance, mais que l'on n'accepte point parmi les siens. Elle est socialement inférieure, et parce qu'elle est femme, elle est doublement inégale par rapport au milieu qu'elle fréquente par nécessité et indigence. Corneille a nettement voulu attirer l'attention sur une condition sociale faite de privation, d'impuissance et d'injustice : la condition même de la femme de son temps.

Mais, dira-t-on, Amarante n'a guère les traits habituels d'une victime ; au contraire, elle n'est pas sans méchanceté, elle est orgueilleuse et rancunière. Elle n'inspire ni pitié ni sympathie ; elle manigance afin de compromettre le bonheur de Daphnis et de Florame, et elle le fait sournoisement, impitoyablement. Est-ce ainsi que Corneille voulait défendre sa cause, ou ne faut-il pas se résoudre à dire que l'auteur crée tout simplement un personnage de comédie féroce, emporté dans un tourbillon étourdissant d'hypocrisie et de malignité? Peut-être, mais s'il en fut ainsi, l'œuvre aurait dû être différente en trois points. Il y aurait eu tout d'abord la traditionnelle punition d'Amarante, qui consisterait à lui refuser le pardon des autres; elle disparaîtrait, comme Alcidon (*La Veuve*) par exemple. En deuxième lieu, Corneille ne lui aurait pas accordé cet ultime monologue de révolte (V,9), pathétique à souhait et, disons-le, plus vrai que tous les entrechats de la belle société. Nous y reviendrons. Troisièmement, les « adversaires » d'Amarante, que l'on qualifierait difficilement de « victimes », auraient eu quelque grâce, des traits plaisants, à la rigueur une charmante innocence. Il n'en est rien. Corneille évoque un petit milieu renfermé, peuplé de péronnelles malicieuses, expertes dans l'art de feindre; de jeunes hommes coureurs de dot ou lamentablement conscients de leur supériorité sociale; de pères autoritaires, vaniteux et égoïstes. À rencontrer l'entourage d'Amarante, on comprend que la Suivante ait à se défendre avec les armes de la duplicité, et on souhaiterait presque qu'elle l'emporte! Glissons sur le médiocre Théante : il est sentencieux, rusé, trompeur et hypocrite; il se débarrasserait même de ses rivaux par les voies les plus radicales! Théante est d'ailleurs voué aux oubliettes. Florame a plus de classe, mais il n'est pas sans tache. Il sait feindre avec élégance : il fait croire à Théante qu'il aime Amarante à la folie (I,3), tout en se réservant d'avance un motif d'infidélité :

> Théante, ou permets-moi de n'en plus approcher,
> Ou songe que mon cœur n'est pas fait d'un rocher;
> Tant de charmes enfin me rendraient infidèle. (vv. 147-149)

Il déploie le même art de feindre au moment où il rencontre inopinément Amarante (II,3) : il se transforme promptement en homme colérique et menaçant qui soupçonne la Suivante d'être la responsable de son malheur :

Mais sache qu'aujourd'hui, si tu ne fais en sorte
Que mon fidèle amour sur ce rival l'emporte,
J'aurai trop de moyens à te faire sentir
Qu'on ne m'offense point sans un prompt repentir. (vv. 1477-1480)

Daphnis a, elle aussi, quelques défauts de son âge, de son amour et de sa condition. Elle ment avec une aisance déconcertante (I, 8), et elle reste toujours consciente de son pouvoir sur Amarante (II, 5) qu'elle traite d'ailleurs comme on traite la domesticité : tantôt pour aller vérifier que l'on ait tendu une tapisserie, tantôt pour lui « quérir un mouchoir », ou pour ramener de chez Clarine deux mouchoirs « *d'un nouveau point-coupé*[45] ».

La vraie cible de Corneille est toutefois l'aveugle puissance paternelle, incarnée par l'ineffable Géraste, père tyrannique par excellence, disposé à « vendre » sa fille afin de satisfaire ses propres désirs. Il y a même quelque sadisme dans son attitude envers sa fille dès l'instant où il croit devoir la troquer contre les faveurs de Florise, sœur de Florame :

[*à Clélie*]
Me prends-tu donc pour homme à manquer de parole
En faveur d'un caprice où s'obstine une folle ?
Va, fais venir Florame : à ses yeux tu verras
Que pour lui mon pouvoir ne s'épargnera pas,
Que je maltraiterai Daphnis en sa présence
D'avoir pour son amour si peu de complaisance.
Qu'il vienne seulement voir un père irrité
Et joindre sa prière à mon autorité,
Et lors, soit que Daphnis y résiste ou consente,
Crois que ma volonté sera la plus puissante. (vv. 1541-1550)

C'est bien contre Géraste que Corneille se déchaîne avant tout dans la dernière scène de cette comédie grinçante ; c'est là qu'il donne libre cours, par la bouche d'Amarante, à son propre dépit, à son dégoût et à ses accusations. Le sens de *La Suivante* aurait pu échapper aux lecteurs de Corneille, si ce dernier n'avait pas déversé sa bile comme il le fait en conclusion de son œuvre. C'est toute la détresse d'une fille dépitée et rageusement impuissante que Corneille étale au grand jour. L'hypocrisie des hommes y est dénoncée, car ils ont «*un amour dans la bouche, un autre dans le sein*» (v. 1666) ; les filles bien nées sont elles-mêmes les marionnettes de la cupidité : Daphnis ne l'emporte que «*par le seul éclat qui sort d'un peu de biens*» (v. 1672) ; que les filles ne se leurrent point : qu'elles présument «*fort peu de* [*leurs*] *attraits*» (v. 1674), «*à moins que la fortune en rehausse les traits*» (v. 1676). La jeune femme amoureuse est en réalité une marchandise que l'on juge selon l'abondance des biens, jetée en pâture aux «*lois de l'avarice*» (v. 1683) des jeunes amants, alors que les vieillards, riches et impérieux, s'abandonnent aux folies de l'amour. Avec une terrifiante lucidité, Amarante, et Corneille, fustigent l'absurdité d'une société où la jeunesse est forcée de se complaire dans des amours mercantiles, et où les seuls élans de l'amour fou ne seraient plus réservés qu'à une vieillesse argentée. C'est ce paradoxe et cette injustice, frappant plus particulièrement la femme, qui inspirent à Amarante la terrible malédiction contre Géraste, tout à la fois père, mâle et amant, qui «*de* [*sa*] *fille achèt*[*e*] *une femme*» (v. 1693), et à qui elle souhaite de toutes ses forces que «*le ciel* [*puisse lui*] *dénier le repos du tombeau qui l'attend !*» (vv. 1695-1696) ; et que cette jeune épouse qu'il a fait sienne soit désormais la vengeresse de tout son sexe et use «*toute sa vie à souhaiter* [*sa*] *mort*» (v. 1700). Tels sont les derniers cris de désespoir et de rébellion d'une femme qui a combattu en vain pour son bonheur :

> Et dans le triste état où le ciel m'a réduite,
> Je ne sens que douleurs et ne prévois qu'ennuis. (vv. 1691–1692)

Cloris (*Mélite*) restait libre, et Doris (*La Veuve*) obtenait ce qu'elle voulait : vue encore optimiste de la femme en quête d'une émancipation vivifiante. Amarante ne connaîtra sans doute que la médiocre satisfaction de la solitude imposée. Elle montre néanmoins le chemin à celle qui ira jusqu'au bout de sa liberté : Angélique, la frêle amoureuse de *La Place Royale.*

5

LA GUERRE DES SEXES : *LA PLACE ROYALE*

DANS une étude sérieuse qui se pique de traiter *toute* l'œuvre de Corneille, la première pièce qui ait suscité un enthousiasme sincère est *La Place Royale.*

Alidor aime Angélique, mais il craint les liens du mariage. Il charge donc Cléandre, son ami, de le libérer d'Angélique. Alidor fait croire à Angélique qu'il ne l'aime plus. Celle-ci est atterrée et, par dépit, accepte Doraste, frère de Phylis. Alidor prétend néanmoins qu'il avait promis Angélique à Cléandre, et décide de regagner le cœur d'Angélique afin de l'offrir, de sa propre main, à son ami. Il arrange l'enlèvement d'Angélique au cours duquel Cléandre se substituera à lui. Mais il y a un contretemps, et Phylis est enlevée à la place d'Angélique. Alidor est démasqué et en dépit de ses promesses il ne parvient plus à reprendre le cœur d'Angélique. Phylis épouse son ravisseur, Cléandre. Angélique ira se réfugier au cloître.

Les analyses brillantes de Nadal, parfois confuses dans leur nette tonalité moderniste, atteignent même, à propos d'Alidor, d'Angélique et du « couple » qu'ils représentent, un certain lyrisme communicatif. Doubrovsky consacre pour sa part des pages éblouissantes à celui qui, selon le critique, est le véritable « prélude au héros ». La seule voix discordante, tendant même à la démythification de *La Place Royale* et de son héros extravagant, a été celle de Jacques Maurens qui estime que « *Corneille a découvert le vrai comique, celui qui disqualifie une prétention morale par la révélation du déséquilibre d'un tempérament* », et il ne voit en Alidor qu'« *une sorte de bovarysme libertin, dont Corneille*

fait vigoureusement mais allégrement la satire »[46]. Peu d'analyses, passionnées ou désabusées, se sont longuement arrêtées au personnage d'Angélique[47]. La curiosité critique, qui est particulièrement masculine dans le cas de Corneille, a été attirée, et même fascinée par un homme qui posait en termes plaisants mais vitaux le problème du célibat, de la liberté prémaritale, de la constance conjugale et, d'une façon générale, d'une séculaire misogynie[48]. Corneille est moins à la recherche d'un héros qui annoncerait déjà le brave Rodrigue, que d'un soldat hagard et paniqué engagé dans une absurde guerre des sexes. À sa façon, Alidor est devenu le *Miles gloriosus* de Corneille, et, sous cet angle, la comédie que Corneille prétend avoir écrite en 1634, peut-être même un peu avant[49], s'inscrit directement sur la courte trajectoire des œuvres qui l'ont précédée : dans son extravagance[50], Alidor ressemble surtout à Éraste, à Alcidon, à Théante ; comme eux il a des traits de vertu sporadiques, et comme eux il se distingue surtout par la fourberie, la feinte et la mauvaise foi ; enfin, comme eux il risque de rejoindre à tout jamais les rangs des célibataires de vocation. En fin de compte, Alidor ne mérite peut-être pas tout à fait l'attention qui lui a été accordée, tributaire qu'il est d'une tradition de farce plutôt que de tragi-comédie. Sa seule supériorité sur ses prédécesseurs est dans la lucidité occasionnelle de son regard :
– il sait qu'il a peur de l'amour, qu'il compare à une prison, à une tyrannie :

[*à Cléandre*]
Te rencontrer dans la place Royale,
Solitaire, et si près de ta DOUCE PRISON,
Montre bien que Phylis n'est pas à la maison. (vv. 178-180)

La prison d'Angélique aurait rompu la mienne (v. 673)

Mais cette lâcheté m'ouvrira ma prison. (v. 900)

[...] son objet trop charmant,
Quoi que je puisse faire, y règne absolument. (vv. 183-184)

Mon cœur, las de porter un joug si tyrannique (v. 893)

– il sait qu'il craint le mariage comme la peste :

De crainte qu'un hymen, m'en ôtant le pouvoir,
Fit d'un amour par force un amour par devoir. (vv. 223-224)

Je me procure un mal pour en éviter mille. (v. 250)

Si ce joug inhumain, ce passage trompeur,
Ce supplice éternel, ne te fait point de peur (vv. 271-272)

Mais songe que l'hymen fait bien des malheureux. (v. 276)

– tout comme il appréhende sa propre inconstance :

N'a-t-on point d'autres goûts en un âge qu'en l'autre ? (v. 234)

– et l'usure du Temps :

Si je pourrai l'aimer jusqu'à ce qu'elle expire ? (v. 230)

– il sait enfin qu'il veut rester libre et dominateur dans la possession de la femme afin qu'elle ait tout de lui, et rien de son propre mérite !

Je ne me résoudrai jamais à l'hyménée
Que d'une volonté franche et déterminée
Et celle à qui ses nœuds m'uniront pour jamais
M'en sera redevable, et non à ses attraits ; (vv. 945–948)

C'est l'extravagance d'Alidor, ponctuée par son style emphatique et son goût de l'hyperbole, qui en fait malgré tout un héros comique, et, à sa manière, un digne précurseur de Matamore. La complexité de sa phobie, qui est une variante courante de la simple misogynie, a incité bon nombre de commentateurs à le pousser carrément du côté du héros tragique, mais est-ce bien ainsi que l'entendit vraiment Corneille ? Alidor a une fixation de la liberté, non *per se*, mais parce qu'elle est l'expédient commode et faussement idéologique pour quiconque fuit la présence de la femme et, au-delà de cette présence, la responsabilité et la légalité contraignante du mariage. Contrairement à un Sganarelle (*L'École des maris*), à un Arnolphe (*L'École des femmes*), voire à un Alceste, à qui il ressemble cependant, Alidor prévoit l'impossible mari qu'il deviendrait. C'est parce que Corneille a fait de lui la caricature d'un Dom Juan à la petite semaine, fuyant toujours le péril d'une union trop durable, apeuré même par la vue de toute femme mariée[51], qu'Alidor a gardé une certaine valeur comique : il est l'anti-héros par excellence, le faux amant et le faux conquérant. La virilité d'Alidor est même un leurre car elle ne se définit jamais dans un rapport quelconque avec la femme, mais uniquement dans une sorte de relation « homosexuelle » qui consiste à satisfaire l'ami et à honorer les promesses que l'on a faites, non pas à une femme, mais à un *alter ego* : « *À moi ne tiendra pas que la beauté que j'aime / Ne me quitte bientôt pour* UN AUTRE MOI-MÊME. » (vv. 273-274). C'est ce que Maurens a appelé « *les coutumes des "copains"*[52] *au XVII*e *siècle* »[46], ou ce que les Anglo-Saxons désignent parfois ironiquement comme le *buddy system*[53], destiné à sauvegarder l'intégrité mâle dans un système clos de connivence et de sécurité. Le comique d'Alidor est nettement de nature satirique. Le rire qu'il provoque est grinçant. Il complète le tableau d'une société qui continue de ne voir dans l'amour qu'un obligeant commerce charnel, qui juge la femme à marier comme une monnaie d'échange, qui confond obéissance et affection, autorité et sensibilité, femme et péché, enfin, femme et servitude. Le sens d'Alidor ne devrait pas s'expliquer à l'aide de figures héroïques qui lui succéderont, et que Corneille n'a d'ailleurs pas encore créées ; il s'éclaire davantage dans le contexte même de *La Place Royale*, parachevant magistralement l'éthique représentative de Phylis, de Cléandre et de Doraste. Ce qui revient à dire que *La Place Royale* n'est pas une comédie de caractère, mais une comédie de mœurs ! Mœurs d'une société mondaine, mi-noble, mi-bourgeoise[54], dont les conditions et les habitudes sont telles qu'elles ont fini par créer une hypnose du mariage, allant de pair avec une incurable méfiance de l'amour et une conception de la femme et de son rôle, qui étouffe ou effrite tous les rêves de la sensibilité ; en une telle société, nous dira Corneille dans son œuvre, et non dans ses « postfaces », dédicaces ou examens[55], « l'union de deux âmes » à laquelle aspire Angélique n'est jamais qu'une illusion, une chimère qu'il ne faut point poursuivre ; le didactisme de Corneille s'adresse ici péniblement à Angélique ; la solitude seule de l'être aimant et meurtri se porte garant de l'intégrité de l'âme et du cœur ; le véritable héroïsme est un héroïsme de la douleur, celui de Chimène, de Camille et d'Horace, d'Auguste et de Pauline. S'il y a « projet héroïque » – qui se confondra ensuite avec le « projet aristocratique » –, c'est en Angélique qu'il trouve sa première expression et sa première réalisation dans la souffrance[56].

En 1660, dans l'« Examen », vingt-cinq ans après *La Place Royale*, Corneille dira d'Angélique que « *son caractère* [...] *sort de la bienséance, en ce qu'elle est trop amoureuse et se résout trop tôt à se faire enlever par un homme qui lui doit être suspect* » (*ŒC*, 150). Quand on sait que Corneille n'a plus su parler d'amour d'une voix vibrante à partir de *La Mort de Pompée*, qu'il s'est vu graduellement « déchoir » aux yeux du public jusqu'à l'échec retentissant et humiliant de *Pertharite*, et qu'il a été le témoin du succès spectaculaire que remportait son frère cadet Thomas avec *Timocrate*, tragédie d'amour par excellence, on comprend assez bien sa sévérité dépitée pour Angélique. Sévérité qui fait simplement écho à ces déclarations de principe et à ces habitudes *pro domo* dont furent émaillés les trois discours (du *Poème dramatique*, de *la Tragédie*, des *Trois Unités*), datés également de 1660 :

Sa dignité [*de la tragédie*] demande quelque grand intérêt d'État ou quelque passion plus noble et plus mâle que l'amour, telles que sont l'ambition ou la vengance, et veut donner à craindre des malheurs plus grands que la perte d'une maîtresse. Il est à propos d'y mêler l'amour, parce qu'il a toujours beaucoup d'agrément et peut servir de fondement à ces intérêts et à ces autres passions dont je parle ; mais il faut qu'il se contente du second rang dans le poème, et leur laisse le premier. (*Du Poème dramatique* ; *ŒC*, 824)

Il va de soi que Corneille, à l'âge d'une bonne cinquantaine d'années, veut poser en poète viril, allant jusqu'à « sexualiser » les passions, les unes étant mâles, comme l'ambition et la vengeance, les autres, comme l'amour, n'étant sans doute que femelles... Ce ton et cette « mâle » assurance ne pourront jamais rendre compte de la solidarité qui lia Corneille à Mélite et Cloris, à Clarice et Doris, à Amarante, et, enfin, à Angélique. En effet, Angélique a la sympathie de Corneille, en dépit de ce qu'il a dit et de ce qu'on a dit. Elle essaie de réussir là où Amarante a échoué. Elle vit peut-être, et même elle se complaît dans un univers utopique, où l'amour règne en maître absolu et triomphant. Mais dans cette recherche même d'une plénitude, de valeurs absolues auxquelles on peut se donner et s'abandonner, elle n'est pas sans préfigurer la stature héroïque des futures tragédies. Et puis, elle est la seule à donner la réplique au cynisme cocasse et franchement caricatural de Phylis. Ce qu'Angélique a de naïf et de charmant, Phylis l'a de grotesque et d'extravagant. Phylis est la femme qui plairait à Alidor, cet autre extravagant. Elle tient la fidélité pour un leurre :

> La constance est un bien qu'on ne voit en pas un, (v. 444)

sinon pour un esclavage :

> Et l'exemple d'autrui m'a trop fait reconnaître
> Qu'au lieu d'un serviteur c'est accepter un maître. (vv. 49-50)

– le langage même d'Alidor ! Elle expose avec une insistance suspecte les théories bourgeoises à la mode, traitant l'obéissance filiale comme une pratique de maison de passe :

> Et je puis avec joie accepter tous maris. (v. 80)

et sa soumission comme un réflexe de débilité mentale :

> [*à Cléandre*]
> Sachez que mes désirs, toujours indifférents,
> Iront sans résistance au gré de mes parents ;
> Leur choix sera le mien... (vv. 1248–1250)
> [*à Doraste*]
> Non, à dire vrai, que son objet me tente,
> Mais mon père content, je dois être contente. (vv. 1374-1375)
> [*à Angélique*]
> Et laisse à tes parents à disposer de toi.
> Ce sont des jugements imparfaits que les nôtres : (vv. 1469-1470)

Elle est, n'en doutons pas, la libertine dont s'inquiétait déjà L'Estoile, et, dans son attitude et ses propos, elle représente la moquerie la plus cinglante d'une éthique sociale et familiale fondée sur l'autorité et l'arbitraire. Elle sera la « récompense » que Cléandre mérite, lui qui sait qu'une femme, dès qu'elle est mariée, « *sous les lois d'un mari sera bientôt passée* » (v. 254). On a quelque peine à croire que Corneille ait voulu se faire le champion d'une société faite de Phylis, de Cléandre, ou d'Alidor, cet extravagant qui n'a que le mot *possession* à la bouche, et qui, à ce point de vue, ne deviendrait, le cas échéant, que le mari substitut du père tyrannique :

> [*à Cléandre*]
> Il ne faut point servir d'objet qui nous possède,
> Il ne faut point nourrir d'amour qui ne nous cède : (vv. 205-206)
> Allons tout de ce pas ensemble imaginer
> Les moyens de la perdre et de te la donner (vv. 295-296)
> [*le ton parental d'Alidor s'affirme*]
> Il faut que je périsse ou que je te la donne.
> J'aurai trop de moyens de te garder ma foi

Et malgré les destins Angélique est à toi. (vv. 690-692)

[*Alidor seul*]

Je vais faire un ami possesseur de mon bien : (v. 895)

Et ne serai jamais sujet à cette rage
Qui naît de voir son bien entre les mains d'autrui.
(vv. 1524-1525) [57]

Corneille a d'ailleurs indiqué très clairement ce qui fit l'objet du rire dans cette comédie de *La Place Royale* ; au moment où Phylis termine sa tirade pour ainsi dire liminaire, résumant toute la société à laquelle elle appartient (vv. 45–80), Angélique lui répond avec fougue et finesse :

Voilà fort plaisamment tailler cette matière
Et donner à ta langue une libre carrière.
Ce grand flux de raisons dont tu viens m'attaquer
EST BON À FAIRE RIRE, et non à pratiquer.
Simple, tu ne sais pas ce que c'est que tu blâmes, (vv. 81–85)

Il ne reste donc plus qu'à interroger la femme amoureuse : Angélique qui prend la relève d'Amarante pour affirmer un droit inaliénable, et l'espoir fou d'un bonheur d'aimer sans duplicité ni trahison.

Angélique a été créée pour répondre à une question assez complexe que Corneille, en poète sensible, a pu se poser après *La Suivante* : est-il bien raisonnable et même possible d'aimer ainsi, de vouloir à tout prix le bonheur d'une âme amoureuse, de craindre à un tel point les douleurs de la solitude, comme Amarante, et enfin, de croire que « l'union de deux âmes » est un privilège inviolable de la femme aimante ? Ne répétons pas après Corneille qu'Angélique est « trop amoureuse », comme s'il s'agissait d'un péché social, mais reconnaissons néanmoins en elle les vaines aspirations du Sentiment lorsque celui-ci s'égare parmi des hommes et des femmes qui ont façonné et ratifié la primauté d'un ordre à la fois autoritaire et viril. Angélique n'est point rejetée par Corneille, au contraire. Mais elle doit se résoudre à n'être qu'une belle figure idéalisée, un rêve de poète, une femme parfaite[58], que la société réprouve parce qu'elle bouleverse le déséquilibre nécessaire entre la sensibilité féminine et les prérogatives d'initiative du mâle dominateur. Si elle était devenue ridicule sous la plume de Corneille, elle aurait eu tort. Il se fait toutefois que, contrairement à Phylis, elle ne se prête à aucun trait caricatural. Elle a des excès, certes, mais ce sont des excès d'amour que lui inspire une soif de pureté et de don total. Le paradoxe d'Angélique est précisément de prétendre à l'amour et à la liberté de ses émois, tout en étant disposée à se soumettre à l'ordre de son milieu. Elle est la femme qui est prête à jouer le jeu de la société virile, mais qui réclame, en retour, le respect et la réalisation de ses désirs. Elle est la femme qui veut bien dire *oui* à l'autorité qu'elle aime, mais qui exige l'amour réciproque en récompense. Angélique ne combat pas ouvertement l'inégalité sociale des sexes, mais elle pose le principe du « donnant, donnant ». Son féminisme émouvant mise sur la bonne foi d'un partenaire[59], mais il est tenu en échec parce que sa propre croyance tourne trop aisément en crédulité et naïveté. Pourtant, elle promet sa constance, comme il est de mise, même à « *Alidor* [*qui*] *a* [*son*] *cœur et l'aura tout entier* » (v. 40). Tout comme elle a pleine confiance en ces « *contentements* [*dont*] / *Se nourrissent les feux des fidèles amants* » (vv. 87-88). Elle deviendra la victime d'un odieux chantage, mais elle réaffirmera encore sa foi et sa soumission à l'homme qu'elle aime :

> Use sur tout mon cœur de puissance absolue :
> Puisqu'il est tout à toi, tu peux tout commander
> Et contre nos malheurs j'ose tout hasarder. (vv. 822-824)

Elle ne craint point le mariage, mais il faut qu'il soit « *heureux* » (v. 830), et qu'il s'épanouisse dans la fidélité de l'amour. Sinon cette même union deviendra un « *supplice* » (v. 1082) qu'elle appréhende avec horreur :

> L'hymen (ah ! ce seul mot me réduit aux abois !)
> D'un amant odieux me va soumettre aux lois
> Et tu peux m'exposer à cette tyrannie ! (vv. 1083–1085)

En somme, dira-t-on, cette Angélique semble être une précieuse qui s'ignore : elle en nourrit les idéaux, les désirs et les illusions ; en outre, elle a une nette tendance à vouloir spiritualiser l'amour puisqu'elle transportera celui qu'elle éprouve pour Alidor au cloître, l'offrant à Dieu ! Dans ces conditions, la création d'Angélique ne serait peut-être rien d'autre qu'une aimable flatterie concédée par Corneille aux dames libérées de son temps. On a d'ailleurs prétendu que telle fut la dette que Corneille devait à la préciosité, ce qui prouverait, une fois de plus, que l'œuvre cornélienne ne serait finalement qu'un ensemble d'influences littéraires ou sociales, les unes se confondant avec les autres[60].

Encore faudrait-il que les dates puissent confirmer une telle dette de Corneille, ou, en fait, son option idéologique qui remonte, non seulement à *La Place Royale* composée en 1634, ou même avant, mais déjà à l'année de *Mélite*, où les réticences et la résistance de Cloris marquaient nettement un refus du mariage sans amour, devenu vil objet de troc. Que les « précieuses », bien ou mal nommées[61], aient cultivé « l'amour mystique », nul ne le conteste ; que ce culte ait été néanmoins celui de la Marquise et de ses hôtes, au point d'en pénétrer la vie littéraire et l'œuvre cornélienne avant les années Quarante, on a quelque peine à y croire. L'Hôtel de Rambouillet avait des allures plus féminines que féministes ; on y badinait aimablement et on y apprit une nouvelle forme de galanterie qui, sous ses dehors chevaleresques, n'en maintenait pas moins la suprématie de l'initiative mâle ; la seule présence de Chapelain, auteur d'un violent *Discours contre l'Amour*[62], devrait suffire à le prouver. Il faut bien se résoudre à la nécessaire maturation des théories féministes, qu'elles soient lancées ou approfondies par Mlle de Gournay[63], ou combattues par Chapelain et d'autres, et rappeler qu'il a fallu plusieurs années de discrétion avant qu'un Somaize ou une Madeleine de Scudéry ne fassent vraiment état d'une forte brise de libération soufflant du côté des dames[64].

Si Corneille a été, peut-être malgré lui, un apprenti féministe, ce n'est guère par le seul biais de la « préciosité »[65] qu'il le devint. Il y a eu d'autres sources, et – pourquoi pas ? – une touche très personnelle qui colora les premières comédies et, en particulier, le personnage d'Angélique. On peut se permettre de dire en toute quiétude qu'Angélique a lu *L'Astrée*, et qu'elle en retient l'importance accordée à la fidélité[66]. D'autre part Angélique illustre une conception de l'amour-passion que réprouvait, par exemple, le néo-stoïcien Du Vair, lui qui, affirme-t-on, a su marquer l'œuvre de d'Urfé et celle de Corneille[67]. Est-ce à dire qu'Angélique échoue aux yeux de Du Vair ou de Corneille, ou a-t-elle reçu une grâce réparatrice ? Corneille ne lui réserve-t-il pas quelques menues victoires qui sauvent finalement l'intégrité de sa passion et de ses rêves de femme épanouie et heureuse ? L'impasse dans l'interprétation du personnage consiste à tenir Angélique soit pour perdante, soit pour gagnante, justifiée dans son choix ou fautive dans ses excès ! Ou pour poser le problème dans les termes mêmes d'un critique : « *Angélique, qui a parié sur la passion, est, dans le contexte de la pièce et du point de vue cornélien,* coupable » (p. 74[13]), ou ne l'est-elle pas ?

Disons tout d'abord qu'il n'y a pas lieu de justifier Angélique au moyen des préceptes de d'Urfé ou de Du Vair ; François de Sales y suffit, lui qui préconisait, comme on l'a vu, une « union indissoluble » des âmes et une « fidélité inviolable » entre les époux. À ce point de vue, les exigences d'Angélique ont l'approbation de Corneille. Il semble même que la jeune amoureuse de *La Place Royale* entretient, délibérément ou non, une conception toute chrétienne et sacrée, du couple et de ses devoirs. La fréquence, en sa bouche, du mot *foi* atteste chez elle une fusion presque inconsciente de l'obligation morale envers l'être que l'on aime et l'obligation spirituelle envers Dieu. Même fusion ou confusion entre son *cœur* qui aime et son *âme* qui aspire, les deux vocables étant employés indifféremment. Simples usages, dira-t-on, sans signification particulière. Peut-être, mais n'est-il pas curieux qu'Angélique soit la seule personne de la comédie à tenir ce langage équivoque ? Corneille a voulu marquer la disponibilité spirituelle d'Angélique, comme s'il la destinait d'avance aux douceurs de la retraite : elle est seule aussi à invoquer le *ciel* avec autant d'insistance, comme si le secours céleste participait aux ardeurs de ses amours : « *As-tu cru que le ciel consentît à ma perte ?* » (v. 333), lance-t-elle à l'infidèle Alidor. Trahie et meurtrie, elle en appellera à la vengeance du ciel : « *Ciel, tu ne punis point des hommes si méchants !* » (v. 364), et encore : « *Ciel, qui m'en vois donner de si justes sujets* [il s'agit de sa vengeance] / *Donne-m'en des moyens, donne-m'en des objets* » (vv. 419-420). Prise de regrets, elle s'accuse d'oser « *faire au ciel une injuste querelle* » (v. 425), mais reprise par le dépit, elle implore son secours : « *Ciel, encore une fois, écoute mon envie : / Ôte m'en la mémoire ou le prive de vie* » (vv. 429-430). Elle lui reprochera de ne pas apporter de remède « *au mal qui* [*la*] *possède* » (v. 446), mais c'est finalement à lui, sous les traits consolants du cloître, qu'elle confiera sa vie. La passion d'Angélique, trompée dans son attente temporelle, aboutit presque sans heurts à son ardeur spirituelle, toujours présente en son âme comme en son cœur. Elle était prête à se donner tout entière à Alidor. Elle consent enfin à se donner tout entière à Dieu[68]. Avec la même fougue qu'elle eut pour son amant, elle rejette le mariage dont elle a reconnu la juste mesure : « *ce honteux commerce / Où la déloyauté si pleinement s'exerce* » (vv. 1482-1483), et elle transfère sa passion en « *Un cloître* [*qui*] *est désormais l'objet de* [*ses*] *désirs : /* [car] *L'âme ne goûte point ailleurs de vrais plaisirs.* » (vv. 1484-1485)[69]. Qu'Angélique ait raison contre Alidor, pour qui elle a ressenti un amour profond du cœur[70], cela va de soi. Que Corneille lui donne raison, en dépit de nos modernes répugnances à voir disparaître un être de feu et de folle ardeur au creux de la retraite spirituelle, nous paraît assez plausible, compte tenu des faibles réticences qu'y oppose la caricaturale Phylis, s'en remettant médiocrement aux jugements des parents et non aux «*jugements imparfaits*» (v. 1470) de la femme amoureuse ; et réduisant l'amour d'Angélique à un «*dépit*» (v.1475), alors qu'il n'a été question que de foi, de promesses, d'union des âmes et d'abandon ! La « culpabilité » d'Angélique est simplement celle des filles mal aimées, pleines d'espoir et de chimères, misant sur l'invulnérabilité de l'amour et sur les grâces d'une union sans contrainte ; c'est la « culpabilité » de la candeur et d'une confiance trop naïve en une impossible spiritualisation de l'amour entre deux êtres dont l'un veut se donner afin que l'autre se donne à son tour ; dont l'un offre sa liberté afin qu'elle se fonde en la liberté de l'autre. Mais Corneille savait que «*Dieu conjoint le mari à la femme en son propre sang,* [et] *c'est pourquoi cette union est si forte que plutôt l'âme se doit séparer du corps de l'un et de l'autre, que non pas le mari de la femme. Or cette union ne s'entend pas principalement du corps, ains du cœur, de l'affection et de l'amour.* »[71]. Projet d'amour qui échappe à tout jamais à Alidor... Projet qui fait d'Angélique une « veuve » selon le vœu de François de Sales, car «*si la vraie veuve, pour se confirmer en l'état de viduité, veut offrir à Dieu en vœu son corps et sa chasteté, elle ajoutera un grand ornement à sa viduité et mettra en grande assurance sa résolution*»[72]. *La Place Royale* se termine par l'extravagant monologue d'Alidor, proclamant son absolue liberté ; mais l'œuvre, en même temps, réserve le bonheur à la solitude spirituelle de la femme libérée de la contrainte sociale et de la duplicité. La victoire d'Alidor est éphémère ; le triomphe d'Angélique, sur elle-même, comme déjà dans la plus belle tradition cornélienne, est un triomphe permanent...

6

LE TRIOMPHE DE L'ÉTHIQUE FÉMININE : *LE CID*

Entre les premières comédies de Corneille et *Le Cid* s'écoulent à peine quelques années, peut-être seulement quelques mois, compte tenu de cette *Illusion comique* qui fut jouée en 1636. Nulle discontinuité dans l'exercice créateur ; tout au plus une maturation, un approfondissement, une réflexion plus austère, une épaisseur dramatique sous un ton qui, souvent, demeure désinvolte. En fait, sans aller jusqu'à insister sur l'humour dans *Le Cid*[73], la *tragi-comédie* de Rodrigue et de Chimène ne dément guère la facture générale des comédies : abondance sinon pléthore de figures parentales, toutes parées d'autorité et d'abus de pouvoir ; toutes animées d'un sens pratique qui, en dépit du décorum et des titres, sent terriblement son bourgeois. À verser également au compte de la partie « comique » sont les deux entretiens des amants, pathétiques, certes, mais néanmoins empreints de familiarité et de l'aimable crainte du « qu'en-dira-t-on ». Remarquons aussi le procédé plaisant et ironique des fausses nouvelles, comme c'était le cas dans *Mélite* avec les fausses lettres, ou l'exemple de cette « *Clarice* [*qui*] *est au désespoir* [*et*] *croit Philiste sans vie* » (*La Veuve*, v. 1631), répété deux fois dans *Le Cid*, une première fois par le roi qui veut éprouver l'amour de Chimène (IV, 5), et une deuxième fois par la méprise d'une amoureuse au bord des larmes et de l'hystérie, accusant don Sanche d'un crime qui n'a pas eu lieu (V, 5). Enfin, l'élément agréable dans une promesse ou la certitude d'un mariage heureux, au point où l'on a cru que c'était chose faite, même si le jour béni n'avait pas été fixé[74].

En somme, la tragi-comédie du *Cid* risque d'avoir été outrageusement dramatisée parce qu'on y a vu, soit un aboutissement de comédies qui n'en furent point, dit-on, soit une introduction glorieuse à une série d'œuvres tragiques qui s'étendront désormais d'*Horace* à *Suréna*. Si, par contre, on veut bien admettre que Corneille regarde plus souvent en arrière qu'il ne regarde en avant, et que ses comédies, sans être désopilantes, projettent néanmoins une intention comique, on reconnaîtra peut-être ses véritables dettes et l'importance qu'il continue à accorder au sort de la femme amoureuse. Il s'agit de réhabiliter Chimène, non pas contre Chapelain ou le ridicule de Scudéry, mais contre une conviction critique selon laquelle *Le Cid* est une œuvre essentiellement « virilisée », écrite et jouée en l'honneur du mâle triomphant, théorisant d'avance – vingt-cinq ans, pas moins ! – la supériorité de « quelque passion plus noble et plus mâle que l'amour ». À force d'emprunter le regard de Rodrigue pour juger du bien-fondé de sa cause et de la qualité des leçons qu'il prodigue à sa maîtresse, on a fini par ne plus voir en Chimène qu'une petite fille réduite à la merci de son amant, sinon une adolescente qui ne sait pas encore très bien ce qu'elle veut, et qui trébuche sur les pas et dans le sillage de son conquérant. Ce rôle modeste réservé à une nouvelle héroïne paraît un peu suspect dès que l'on se souvient que l'avant-scène de l'œuvre cornélienne fut constamment occupée par des Mélite ou des Cloris, des Clarice ou des Doris, Daphnis ou Amarante, Angélique ou Isabelle[75]. Des femmes qui savaient, elles, ce qu'elles voulaient, même si elles n'obtenaient pas toujours gain de cause ; qui ne cessèrent de poser la question cruciale de leur liberté d'aimer, sinon de leur liberté de vivre ; qui illustrèrent une quête et un désir, quitte à les combler dans la solitude de la retraite, à défaut d'amour et de communion. Chimène, à en croire nos patientes lectures, n'appartiendrait pas tout à fait à cette ligue d'amazones de l'amour. Trop jeune encore, fille élevée à la dure par un père qui ne tolère guère la réplique, capricieuse même dans ses va-et-vient entre l'amour et l'honneur, carrément obstinée et refusant tous les conseils de ses aînés ! Bref, après avoir accepté de bon cœur la soumission filiale et ses incertaines conséquences, Chimène accepterait en quelque sorte la soumission « pré-maritale », calquant sa conduite et ses paroles sur celles du nouveau mâle dans sa vie, son nouveau maître et seigneur, son amant et son héros[76]. Chimène serait-elle niaise ou l'aurait-on mal entendue ? Il est vrai qu'elle semble toute à l'obéissance filiale, surtout du vivant de son père[77], mais il s'agit bien d'une sage conduite qui va dans le sens de son désir. Son premier élan vers le roi, à qui elle demande réparation, paraît fort peu inspiré par la douleur d'une fille aimante et meurtrie dans son affection. On s'attendait à voir une fille éperdue, égarée par la souffrance. Elle a la présence d'esprit, au contraire, d'en appeler à la justice du roi, de le flatter, de lui montrer combien il a été lésé ; en un mot, comme elle le dit elle-même : « *J'en demande vengeance, / Plus pour votre intérêt que pour mon allégeance* » (v. 689-690), et « *Immolez, non à moi, mais à votre couronne, / Mais à votre grandeur, mais à votre personne !* » (v. 693-694). Étrange réquisitoire pour une fille qui vient de voir son père baignant dans le sang[78], et qui, il y a un instant, prétendait que « *la voix* [*lui*] *manqu*[*ait*] [et que] [*ses*] *pleurs et* [*ses*] *soupirs vous diront mieux le reste.* » (vv. 669-670).

L'a-t-on bien jugée comme il faut ? Elle est, certes, parfaitement consciente du pénible devoir que la société et ses lois lui imposent ; elle compte donc en avoir la pleine initiative, sans qu'on ait à lui faire des leçons ni à lui offrir de l'aide : elle demande justice au roi, et elle refuse fermement le bras vengeur que lui tend don Sanche. L'épreuve de Chimène est sans doute la première qui soit vraiment importante dans sa vie, et c'est bien la première fois qu'elle est forcée d'agir *seule*, en tant que fille et orpheline, en tant que femme amoureuse. Elle sait et elle affirme qu'elle ne cessera jamais d'« adorer » Rodrigue (« *C'est peu de dire aimer, Elvire, je l'adore* », v. 810), car tel est le sort de son amour, mais elle a couru pour réclamer justice auprès du roi. Elle n'avait pas compté sur le retour de Rodrigue, ni sur sa curieuse dialectique amoureuse ni sur ses sentences qui ressemblent plus à des syllogismes qu'à des soupirs de tendresse. Le problème n'est pas de déterminer si Rodrigue la presse, l'humilie ou l'écrase avec ses beaux raisonnements virils, ou s'il est odieux et cynique, ou naïf et perdu[79]. Ce qui est évident, c'est que Rodrigue, dès qu'il apparaît sous le regard de Chimène, tend tout naturellement, comme mâle et jeune amant de tous les temps, à priver Chimène de *l'initiative de l'acte*. L'époux de demain assume déjà la volonté du père disparu, dictant *ses* décisions ou *son* interprétation de l'héroïsme, de l'amour et du sacrifice. Qu'il l'ait voulu ou non, ou prémédité, voire mûri, le projet de Rodrigue et toutes les solutions qui en découlent posent en termes non équivoques le problème de la liberté même de Chimène. Les intentions suicidaires de Rodrigue, en dépit de leur noblesse, situent leur commun amour sur une base essentiellement unilatérale : ce que Rodrigue veut ou prétend vouloir, Chimène le voudra aussi, se dit-on avec la tranquille assurance que cette fille, de toutes façons, a la vocation de la soumission. L'épreuve de Chimène devient ainsi une pénible fusion de défaites et de victoires, les unes se succédant aux autres sans qu'il y ait un ordre bien établi ; épreuve mais dont on a surtout retenu les signes de faiblesse, les chutes, les soupirs, les scandaleux aveux et l'ultime amende honorable. C'est dans son désarroi et dans sa solitude, évoquant pour ainsi dire l'érotique image de sa nudité morale, que Chimène a plu, avec et en dépit de ses défauts, à trop de lecteurs critiques ; qu'elle leur a paru délicieusement vulnérable, et vouée aux contraintes de la maîtrise virile.

Corneille, dans son « Examen » du *Cid* (1660), après avoir relu son œuvre avec les yeux d'un quinquagénaire, a eu plus d'indulgence et moins de préjugés pour sa Chimène : il lui trouve surtout de la fermeté et de la résolution[80] ; il estime même que ce mariage dont on a tant parlé n'est pas vraiment un fait accompli : « *Il est vrai que dans ce sujet il faut se contenter de tirer Rodrigue de péril, sans le pousser jusqu'à son mariage avec Chimène. Il est historique et a plu en son temps ; mais bien sûrement il déplairait au nôtre,* [...]. *Pour ne pas contredire l'histoire, j'ai cru ne me pouvoir dispenser d'en jeter quelque idée, mais avec incertitude de l'effet.* » (*ŒC*, 219). Cette défense de Chimène, couvrant à la fois ses luttes courageuses et le respect de ses dernières réticences[81], est l'écho favorable de cette *Lettre apologétique du Sieur Corneille contenant sa response aux observations faites par le Sieur Scudéry sur le Cid*, écrite en 1637 pour répondre aux bêtises du critique. Avec vigueur Corneille lui rappelle que « *quand vous avez traité la pauvre Chimène d'impudique, de prostituée, de parricide, de monstre, vous ne vous êtes pas souvenu que la Reine, les princesses et les plus vertueuses Dames de la Cour et de Paris, l'ont reçue et caressée en fille d'honneur* »[82]. Noble compagnie, rarement encline à supporter les jeux de la soumission, et assez peu disposée à souffrir en silence de l'arrogance ou de la sauvage suffisance de courtisans fanfarons. À y regarder de plus près, Corneille fut sans doute très sensible à la petite-fille des Amarante et des Angélique, à sa légitime quête d'individualisation, à son refus encore mal défini mais réel de l'éthique commune et adulte, si fausse et si aisément variable[83], tout comme il le fut à son refus d'une éthique de mâle triomphant, valable peut-être d'un point de vue strictement viril, mais inadaptée aux désirs bouillonnants d'une enfant qui, en quelques heures, doit apprendre qu'« il ne suffit pas de naître femme.

[Qu'] il faut aussi le devenir »[84]. Ce ne sont donc plus les retraites de Chimène qu'il faut examiner avec un fallacieux regret, mais ses résistances et ses ripostes qui jalonnent les étapes de son « devenir », c'est-à-dire de sa liberté.

Rodrigue a simplifié sa vie et sa mort ! Il a tué le père de Chimène... Que Chimène le tue donc et rétablisse l'équilibre ! L'épée à la main, il ne manque pas de vulgarité d'offrir ainsi sa gorge à une sanguinaire vengeance. Chimène le repousse en lui réclamant un peu plus de discrétion, sinon de délicatesse. Cette épée est « *du sang de* [*son*] *père encor toute trempée !* » (v. 858), c'est un « *objet odieux* » (v. 859) qui « *est teint de* [*son*] *sang* » (v. 863) qu'elle ne « [*peut*] *souffrir* » (v. 867). Suit la dialectique cruelle de Rodrigue, animée par l'honneur et la conviction que Chimène y cédera par souci d'émulation. Que Chimène y réponde comme il se doit ne fait pas l'ombre d'un doute ; qu'elle y réponde en amante soumise est moins sûr. En effet, elle sera « digne de lui », mais *à sa façon, selon son initiative à elle* : elle le poursuivra, mais elle ne le punira pas de sa propre main, car le principe vital et primordial de sa vie de femme, affirmée indépendamment de celle des hommes, reste inviolable, et c'est le principe inviolable de *son amour* ! À Rodrigue qui ne veut point « *vivre avec* [*sa*] *haine* » (v. 962), elle oppose le célèbre et *claironnant* – rien n'indique le contraire – « *Va, je ne te hais point* » (v. 963) ! Dans ce duo ou ce duel d'amour, selon l'optique choisie, Chimène ne cède pas à l'éthique virile de son amant ni à ses médiocrités, comme lorsqu'il ose suggérer que les commérages auront raison de ses refus.

> Crains-tu si peu le blâme et les faux bruits ?
> Quand on saura mon crime et que ta flamme dure,
> Que ne publieront point l'envie et l'imposture !
> Force-les au silence... (vv. 964–967)

Elle s'accroche fermement à son amour, défiant «*la voix de la plus noire envie*» (v. 970) d'élever «*au ciel* [*sa*] *gloire*» (v. 971), et sachant, comme elle le dit à Rodrigue, «*que je t'adore et que je te poursuis*» (v. 972). On n'a peut-être pas assez insisté sur l'éthique de l'amour qui anime Chimène et lui donne sa spécificité. L'amour lui appartient en propre, sans que les supplications ou les insistances de son amant puissent y changer quoi que ce soit. C'est grâce à l'amour que Chimène survit à l'épreuve, car sa gloire à elle, que l'on ne saurait confondre avec celle de Rodrigue, consiste précisément en un douloureux prolongement d'un amour-propriété, d'une possession affective que la loi virile et la société – la cour – veulent lui arracher. À toute évocation d'un devoir d'éducation, d'une norme ou d'une obligation autant sociale que familiale, qu'est la vengeance de son père, elle fait succéder le cri spontané de son amour, de ce qui est *en elle* et *à elle* :

> Je ferai mon possible à bien venger mon père ;
> Mais malgré la rigueur d'un si cruel devoir,
> Mon unique souhait est de ne rien pouvoir. (vv. 982-984)

Et en soupirant sur les conséquences tragiques de sa poursuite :

> Si j'en obtiens l'effet, je t'engage ma foi
> De ne respirer pas un moment après toi. (vv. 995-996)

Chimène n'a plus que son amour et sa vie. Perdre l'un, c'est perdre l'autre, mais quoi qu'il arrive, l'initiative de son triste sort reste la sienne, et, soit par détresse soit par hasard, Rodrigue ne lui oppose plus de résistance : il vient peut-être d'apprendre à respecter «*le silence et la nuit*» (v. 1000) des larmes de son amante épuisée[85].

Mais le malheur de Chimène est d'aimer un jeune chevalier qui, en quelques heures à peine, va se transformer en héros national, devient pour ainsi dire méconnaissable et, en outre, semble être destiné au culte public et collectif au lieu de demeurer le singulier amant que Chimène chérissait. Si l'attitude de Chimène change, mais non ses aspirations, c'est parce qu'elle comprend très vite que Rodrigue échappe à l'unicité de son amour : Rodrigue ayant sauvé la patrie, est dorénavant l'idole du peuple, la propriété publique, la figure déjà légendaire du demi-dieu que tous vénèrent et admirent :

> Du peuple, qui partout fait sonner ses louanges,
> Le nomme de sa joie et l'objet et l'auteur,
> Son ange tutélaire et son libérateur. (vv. 1114-1116)

La familiarité entre les deux jeunes amants est brisée par les effets de l'exploit héroïque. Ils se quittèrent malheureux, mais égaux : lui, ayant réparé l'injure faite à son honneur, elle, le poursuivant en justice, mais sans compromettre l'intégrité de son amour. Ils se retrouveront bientôt comme deux amants après une trop longue absence, maladroits tous deux dans leurs gestes de tendresse, ne parlant plus tout à fait le même langage, presque des étrangers qui cherchent à se reconnaître ou à se comprendre, mais séparés malgré eux par une maturité inégalement ressentie : lui, grandi et exalté, porté aux nues et adulé, balbutiant son nouvel héroïsme, trop serré dans sa nouvelle armure étincelante, encore amoureux mais mêlant déjà au goût exquis de la victoire militaire le goût voluptueux de la conquête de la femme ; elle, spoliée par les armes et les trophées, privée de l'intimité de ses émotions par le délire collectif des foules, accablée par un devoir qui n'a point changé, amoureuse comme elle le fut toujours, même si l'objet de son amour lui tombe lentement de ses mains tendues. Voilà ce qui explique que Chimène, en apprenant la métamorphose de son amant, ne trouve plus que les tristes paroles du deuil, car ces « *Voiles, crêpes, habits, lugubres ornements* » (v. 1136) et cette « *Pompe que* [*lui*] *prescrit* » (v. 1137) la première victoire de Rodrigue sont désormais les funestes signes qui marquent à la fois une orpheline et une veuve. « *On aigrit ma douleur en l'élevant si haut* » (v. 1163), dit-elle, et « *Je vois ce que je perds quand je vois ce qu'il vaut* » (v. 1164). Jamais le pressentiment de perdre Rodrigue, au profit du peuple et au service du roi, ne sera plus aigu ; celui qu'elle aima n'existe plus que dans ses fantasmes, et celui qui s'appelle dorénavant « le Cid » n'est que « *ce vainqueur* [*auquel son*] *amour s'intéresse* » (v. 1193), qu'un peuple « *adore et qu'un roi* [...] *caresse* » (v. 1194). Il lui faut poursuivre le héros afin que l'amant surgisse de ses cendres, et éblouisse encore ses rêves. L'acharnement subit et l'extrême violence de Chimène, dressée comme une furie vengeresse contre tous, est une tentative désespérée de récupérer la pureté de son amour et, par la même voie, de se montrer égale, sinon supérieure à son amant dans la défense de son honneur et de son droit. Il n'est que trop évident que la fureur de Chimène attaque, non pas Rodrigue, mais « le Cid », le nouveau dieu du royaume, celui qui a tué son père, certes, mais surtout celui qui, déjà, aux yeux de tous, remplace son père et en porte désormais les lauriers, le prestige et la terrible autorité. Il faut que Chimène démythifie « le Cid » afin qu'il redevienne Rodrigue, son égal et son amoùr *exclusif* : elle veut sa mort, dit-elle, « *mais non pas glorieuse* » (v. 1362) ; « *qu'il meure pour* [*son*] *père, et non pour la patrie* » (v. 1365), ce qui contredit la première requête au roi et, en même temps, souligne sa volonté de voir son amant arraché à l'adoration des peuples. Tel est le désir farouche de Chimène, luttant pas à pas afin que son premier amour lui soit rendu, celui qu'elle avait librement choisi et auquel elle se serait librement donnée, d'égale à égal, consentante et comblée. Ses refus et sa résistance, que l'on a pris pour des caprices ou pour des enfantillages – à l'instar de don Fernand, le roi –, se manifestent avec une force peu commune parce qu'elle ne veut pas d'un homme à qui « *tout* [...] *devient permis* » (v. 1379) sous « le pouvoir » du roi, et qui ne verrait plus en elle qu'une dernière victoire à remporter et dont elle prévoit l'insupportable mainmise : «*Il triomphe de moi comme des ennemis!*» (v. 1380). «Le Cid» doit disparaître, non l'aimable amant de son adolescence :

> Que son nom soit taché, sa mémoire flétrie.
> Mourir pour le pays n'est pas un triste sort ;
> C'est s'immortaliser par une belle mort. (vv. 1366-1368)

Chimène, on le sait, a vécu toute sa vie sous l'autorité du mâle héroïque, son père, l'imposant comte de Gormas. Au moment où cette vie de soumission et d'obéissance va prendre un tournant, elle rejette avec vigueur toute maîtrise nouvelle que le monde autour d'elle voudrait lui infliger. Elle est prête à *se donner* mais non pas à *être donnée*. Que le roi, qui incarne ce monde de bien-pensants et ses coutumes d'autorité, lui rappelle la contradiction même de son éthique amoureuse, et elle redouble de colère et d'obstination : «*Consulte bien ton cœur*» (v. 1390), lui dit-il, évoquant ainsi la primauté de son amour ; mais il ajoute aussi : «*Rodrigue en est le maître*», liant du même coup l'amour, que Chimène voudrait épanoui dans une commune liberté, à la maîtrise coutumière de l'amant conquérant. La réplique de Chimène, peu soucieuse même de la dignité de son interlocuteur, est cinglante et symptomatique de son défi à l'ordre social :

> Pour moi ! Mon ennemi ! L'objet de ma colère !
> L'auteur de mes malheurs ! L'assassin de mon père !
> De ma juste poursuite on fait si peu de cas
> Qu'on me croit obliger en ne m'écoutant pas ! (vv. 1393-1396)

Chimène choisit elle-même d'être la *conquête* de quiconque combattra et triomphera de Rodrigue ; ainsi l'initiative de sa propre défaite sera pleinement la sienne, et elle ne sera plus jamais cette fille négociable dont la société indifférente s'accommode si bien ; d'avance elle dit *non* au Roi qui «*veu*[*t*] *de* [*s*]*a main présenter [Rodrigue] à Chimène* » (v. 1458), et qui estime que « *pour* RÉCOMPENSE *il reçoive sa foi.* » (v. 1459). Dorénavant Chimène décidera de son propre sort, quitte à en souffrir, quitte à en mourir dans la solitude de la retraite[86]...

C'est dans de telles circonstances, où déjà triomphe la liberté agissante de la femme amoureuse, qu'on aurait pu relire l'admirable entretien des amants méconnaissables. Un héros se présente, gorgé de ses victoires, étourdi par les cris de joie et par les louanges, mais attiré malgré lui par cette présence féminine qu'il aime et dont il veut, honnêtement mais naïvement, faciliter la gloire ; dont il veut guider et forcer la main vengeresse. Le projet de Rodrigue, candide et romanesque, est avant tout suicidaire, c'est-à-dire dicté par sa seule volonté, ignorant de l'amour et de la liberté qui donnent à Chimène ses dernières forces et son dernier espoir. Rodrigue est essentiellement égocentrique, plus qu'égoïste, parce que toute son éducation et son instinct de mâle initié lui ont appris que la parole virile domine les pleurs, l'amour et la faiblesse, c'est-à-dire, dans son optique, domine la femme. L'ivresse de sa première victoire sur les Mores accentue davantage cet air de conquête que Chimène ne lui connaissait pas et qu'elle redoute et combat ; au lieu d'entendre les gémissements d'un amant accablé, elle doit écouter les fanfaronnades d'un héros maladroit et presque insultant :

> On sait que mon courage ose tout entreprendre,
> Que ma valeur peut tout et que dessous les cieux
> Auprès de mon honneur, rien ne m'est précieux. (vv. 1526-1528)

C'est lui dire qu'il a enfin réalisé la supériorité de son sexe, à l'exemple de son père, et même davantage à l'instar du comte de Gormas, l'homme qu'il a tué, mais dont Chimène réentend les rengaines héroïques qui remplissaient sa jeunesse obéissante. C'est lui dire aussi qu'elle n'a plus de « prix » à ses yeux puisque sa vocation héroïque ne le lie dorénavant qu'à son honneur, et non à son amante. Toute la rupture entre Rodrigue et Chimène repose donc sur un conflit d'éthiques, l'une farouchement chevaleresque et exclusivement virile, l'autre comme désespérément suspendue aux dernières fibres de l'amour, de la foi et du bonheur. Cette rupture, dont Rodrigue est seul responsable, Chimène l'a douloureusement ressentie : « *Ton honneur t'est plus cher que je ne te suis chère* » (v. 1509), soupire-t-elle, mais elle ne cédera point le « bien » dont elle a gardé le souvenir ému : le « bien » – Rodrigue avant l'exploit patriotique ! – qui lui garantissait la liberté d'aimer et le droit de se « donner » à l'homme de son choix. Chimène ne s'humilie guère en évoquant « *l'espoir le plus doux de* [*sa*] *possession* » (v. 1512), car « être possédée », ici, c'est l'intime « union de deux âmes », librement consentie, et toute contraire à ce lien follement promis qui l'assujettirait à don Sanche : « *Combats,* [dit-elle à Rodrigue] *pour m'affranchir d'une* CONDITION / *Qui me donne à l'objet de mon aversion.* » (vv. 1551-1552) ! Ainsi, si Rodrigue ne peut plus l'aimer, qu'il fasse d'elle au moins une femme libre, protégée contre un mariage mercantile sans amour, et non livrée au choix du sort et du bon vouloir (v. 1680) d'un monarque indifférent. Certes, elle éprouve quelque honte à s'offrir en « prix » à un Rodrigue vainqueur d'un combat décisif, mais cette concession aux bienséances de son temps est avant tout l'ultime tentative de Chimène de rétablir l'équilibre entre l'honneur, seul « bien » précieux pour Rodrigue, et l'amour qui demeure douce promesse de liberté. Que cette liberté la hante et l'obsède ressort de ce déchirant cri d'amour que Chimène fait entendre au moment où elle croit que « [*sa*] *gloire* [*est*] *en sûreté* » (v. 1711), et que, « *son âme au désespoir* », elle a malgré tout mis « [*sa*] *flamme en liberté* » (v. 1712). Liberté encore, puisque l'amour peut enfin éclater au grand jour, lorsqu'elle refuse déjà d'être cette « *récompense* » (v. 1734) promise par le roi, lorsqu'elle rappelle le « bien » qu'elle laisse à don Sanche, et qu'elle avait tant chéri, ou qu'elle réclame ce cloître pour pleurer où, seule, supplie-t-elle, on la « *laisse à* [*elle*]-*même* » (v. 1738)... Soif de liberté, enfin, chez cette fille qui avait consenti à être le « prix », ou le précieux « bien » de Rodrigue, mais qui refuse net, ne fût-ce que par son silence, comme nous l'apprend Corneille[87], à être le « *salaire* » (v. 1810) que le roi et l'État offrent volontiers à leur champion d'un jour. Il ne suffit pas que le roi lui dise que « *Rodrigue* [*l'*]*a gagnée et* [*qu'elle*] *doi*[*t*] *être à lui* » (v. 1815). Sous le regard énigmatique de Corneille, lui aussi silencieux devant les désirs royaux et les commandements d'autorité[88], Chimène reste affranchie de la volonté d'autrui et rend ainsi un dernier hommage à celui qui aura été pour elle, comme pour les autres, un éblouissant apprenti féministe...

NOTES

1. La vogue du féminisme au XXe siècle, et surtout depuis une vingtaine d'années, s'est répandue parmi les études littéraires et critiques. Le XVIIe siècle offre tout un champ d'exploration, à commencer par la « querelle des femmes » durant la première moitié du siècle. Les meilleures initiations au féminisme du XVIIe siècle, abondamment documentées du reste, sont *Le Paradis des femmes* de Carolyn C. Lougee (Princeton, N. Y., Princeton University Press, 1976) et *Woman triumphant, Feminism in French Literature, 1610-1652*, de Ian Maclean (Oxford, Clarendon Press, 1977).

Le premier ouvrage est de nature plus sociologique, sans négliger les références à des témoignages littéraires. Le nom de Pierre Corneille n'y paraît pas.

Le second est davantage orienté par l'appui des textes littéraires. Corneille y reçoit une attention répétée, mais le critique se borne à dresser un bilan de certains thèmes dits féministes, sans en faire toutefois une analyse détaillée. Mais, a noté Noémi Hepp, dans son compte rendu (*XVIIe siècle, Revue*, juill.-sept. 1979, 124, pp. 309-13), Ian Maclean, en étudiant sommairement la comédie de Corneille, « *y trouve aussi une satire du féminisme, souvent mise d'ailleurs dans la bouche des femmes elles-mêmes* » (p. 310). Notre propre point de vue va dans un sens contraire.

Rappelons enfin, toujours dans l'esprit de la vogue de plus en plus envahissante, que la 14e réunion de la North American Society for 17th Century French Literature avait retenu le thème : « La femme au XVIIe siècle ».

2. Il était « avocat du roi ancien au Siège des eaux et forêts » et « premier avocat du roi en l'amirauté de France au siège général de la table de marbre de Rouen » ! Titres réservés à ceux qui avaient au moins vingt-six ans et avaient plaidé durant quatre ans. Corneille avait vingt-trois ans, mais son père était intervenu...

3. La date de 1625, que soutient Auguste Dorchain dans *Pierre Corneille* (Paris, Garnier, 1918) ne tient pas devant les arguments de Louis Rivaille dans *Les Débuts de P. Corneille* (Paris, Boivin, 1956).

4. Dans *Mélite,* trois jeunes hommes gravitent autour de Mélite : Éraste, Tircis, Philandre. Le héros, Tircis, a une sœur, Cloris. Éraste, amoureux et fourbe, trompe Tircis à l'aide de fausses lettres. Dans *La Veuve*, trois hommes s'empressent auprès d'une veuve séduisante, Clarice : Philiste, Alcidon, Célidan. Le héros, Philiste, a une sœur, Doris. Alcidon, amoureux et fourbe, décide de tromper et de peiner Philiste en enlevant Clarice. Le parallélisme est frappant, et Corneille ne s'en est finalement pas caché : « *J'ai presque toujours établi deux amants en bonne intelligence, je les ai brouillés ensemble par quelque fourbe et je les ai réunis par l'éclaircissement de cette même fourbe qui les séparait.* » (*Discours de l'utilité et des parties du poème dramatique* ; *ŒC*, 825).

5. Ce qui ressort de l'excellente étude de Edith G. Kern, *The Influence of Heinsius and Vosius upon French Dramatic Theory* (Baltimore, Johns Hopkins Press, 1949).

6. Octave NADAL, *Le Sentiment de l'amour dans l'œuvre de Pierre Corneille* (Paris, Gallimard, 1948).

7. Éraste, pris de folie, vient en droite ligne de l'*Hypocondriaque* de Rotrou, et de *Climène* de de la Croix. Les fausses lettres sont dans *L'Astrée*, dans le *Francion* de Sorel, dans les *Amours de Florigène et de Méléagre* de Nervèze, enfin, dans la source commune, l'*Arcadie* de Lope de Vega.

8. Le bilan du procès des comédies de Corneille a été dressé par Serge Doubrovsky dans son *Corneille et la dialectique du héros* (voir *infra*, n. 13 ; p. 522, n. 25).

9. Une étude relativement récente s'est penchée sur ce rôle : Cecilia RIZZA, « La Condition de la femme et de la jeune fille dans les premières comédies de Corneille », pp. 169-93 in *Onze études sur l'image de la femme dans la littérature française du dix-septième siècle*, réunies par Wolfgang Leiner (Paris, 1978).

L'analyse descriptive de la condition féminine ne va pas aussi loin dans le sens féministe qu'on l'aurait souhaité. Le rôle assigné à l'homme, ne fût-ce que par contraste, a été plus ou moins escamoté. Cela étant dit, cette étude garde tout son mérite pour avoir amorcé le problème de l'émancipation féminine dans les premières œuvres de Corneille. En adoptant avec lui l'interprétation traditionnelle de la préciosité, C. Rizza cite judicieusement André Stegmann : « *Corneille ne fut jamais précieux, il marqua la préciosité et il fut marqué par elle. Il a préparé, avec d'autres, l'importante prise de conscience féministe que représente le mouvement précieux.* » (p. 187 ; cité de *L'Héroïsme cornélien. Genèse et signification* [Paris, Colin, 1968], p. 171).

10. Robert BRASILLACH, *Pierre Corneille* (Paris, Fayard, 1938).

11. Le titre du chapitre II du livre de Robert Brasillach qui écrit : « *Ainsi s'avancent à travers les villes ceux que Fernando de Rojas nomme les* chevaliers du miracle, *transportant avec eux leurs parades, leurs vers emphatiques, leurs pauvres costumes et quelques toiles peintes* » (*Ibid.*, p. 42-3).

12. Il est question du personnage extravagant de *La Place Royale*.

13. Serge DOUBROVSKY, *Corneille et la dialectique du héros* (Paris, Gallimard, 1963).

14. On reconnaît la formule de Roland Barthes, qui a fait fortune. Voir son *Sur Racine* (Paris, Seuil, 1963), p. 35.

15. Une fois pour toutes, au XVIIe siècle, le « sexe faible ».

16. « *Tout le théâtre contemporain de* Mélite *est lui aussi empli de cet amour respectueux, absolu.* » (p. 80-1[6]).

17. Tiré de cette « *Excuse à Ariste* », qui date de 1634, et où Corneille évoque un amour qui lui aurait appris « à rimer ». Ce poème est néanmoins plus à sa place dans la querelle du *Cid*, en 1637 – date de publication de l'« *Excuse* » – que dans l'histoire des amours de Corneille. Voir *ŒC*, 871, et la note 51 d'André Stegmann.

18. Alain DECAUX, *Histoire des Françaises*, t. I (Paris, Librairie Académique Perrin, 1972).

19. S. de Beauvoir rapporte le même mot et le complète : « *En France tous les grands événements, toutes les intrigues...* » (*Le Deuxième Sexe* [Paris, Gallimard, 1949], t. I, p. 122).

20. Voir l'ancien mais toujours précieux ouvrage de Gustave Fagniez, *La Femme et la société française dans la première moitié du XVIIe siècle* (Librairie Universitaire J. Gamber, 1929), p. 154.

21. La femme à laquelle on songe appartient à une réalité qu'il est parfois plus facile d'imaginer que de démontrer. Elle n'est pas vraiment le modèle de la fameuse « femme forte » dont les littérateurs ont fait quelque cas. Il semble même que la « femme forte » de la littérature – inspirée par la Vierge, Jeanne d'Arc ou autre femme remarquable – soit tout le contraire d'une féminitude épanouie ; sa force est souvent mesurée en regard de qualités dites viriles, ou, comme le dit finement Noémi Hepp dans son compte rendu (voir n. 1), « *la Femme forte n'a pas de plus beau champ où déployer sa vertu que celui du dévouement conjugal* ». Ce commentaire porte sur l'important chapitre consacré par Ian Maclean à la « Femme forte » dans son ouvrage cité.

La femme de la réalité vécue est plutôt celle qui avait connu les rigueurs de la guerre, qui s'émancipait à la faveur d'une aisance financière toute bourgeoise, découvrait des loisirs, participait activement aux œuvres de charité et y laissait sa marque, et qui, enfin, prenait conscience de sa puissance autonome, ou de ce que Carolyn Lougee (*Op. cit.* [n. 1], chap. II) a appelé les « Bases of feminine authority ». Bref, la femme de la réalité – que les romans idylliques réinventent à des fins viriles – est finalement mieux perçue dans l'ouvrage de Fagniez déjà cité. Quant à l'activité charitable de la femme, voir encore Fagniez, au chapitre VI, et même l'agréable lecture de *L'Église des temps classiques* par Daniel-Rops (Paris, Fayard, 1958).

22. Selon L'Estoile, en 1611 : « *La réputation de Paris est aujourd'hui si mauvaise qu'on doute fort de la chasteté d'une femme ou d'une fille qui y aura quelque temps séjourné.* » Et : « *Jusque vers 1650, les grandes dames veulent avoir des "hommes de chambre plutôt que des suivantes". Ceux-ci les coiffent et les habillent. Quelquefois, ils font davantage.* » (cité p. 641[18]).

23. Simone DE BEAUVOIR, *Le Deuxième Sexe* (*op. cit.* [n. 19], t. I, p. 128. L'auteur de l'*Alphabet* fut un homme d'Église, Jacques Olivier, de son vrai nom Alexis Trousset, cordelier. Sur toute la question du féminisme, de ses défenseurs et de ses détracteurs, voir les études citées de C. Lougee et de I. Maclean (n. 1). Voir aussi : Pierre RONZEAUD, « La Femme au pouvoir ou le monde à l'envers », *XVIIe siècle, Revue*, 1975, 108, pp. 9-33.

24. Élisabeth BADINTER, *L'Amour en plus. Histoire de l'amour maternel* (Paris, Flammarion, 1980).

25. L'extrait de saint Augustin est du « *Songe de Verger* », Livre I, chap. CXLVII.

26. Épître aux Éphésiens, V, 21-24.

27. Tout Missel-Vespéral, à la Messe pour un mariage, reprend ce passage de saint Paul : « *Mes frères, Que les femmes soient soumises à leurs maris comme au Seigneur, parce que le mari est le chef de la femme,* etc. » (*Missel-Vespéral* [Brepols, 1956], p. 1011).

28. On connaît l'immense succès de l'*Introduction à la vie dévote*. Entre 1608 et 1619 : quarante éditions, certaines non contrôlées, à Douai, Cambrai, Rouen. Ce livre, note André Ravier, « *était devenu pour longtemps le bréviaire des chrétiens qui aspiraient, sans pouvoir ni vouloir quitter le monde, à vivre avec ferveur la foi de leur baptême.* » (voir Saint FRANÇOIS DE SALES, *Œuvres*, préface et chronologie par André Ravier [Paris, Gallimard, « Bibl. de la Pléiade », 1969], p. 14). Pour l'extrait cité, voir *Œuvres*, p. 234-5.

29. Quelques rappels utiles de l'ouvrage cité (n. 20) de Fagniez : « *Les fiançailles pouvaient avoir lieu avant l'âge nubile, dès l'âge de discernement, à sept ans et, si elles étaient suivies de cohabitation, elles devenaient un mariage. C'est dire que la volonté des conjoints n'était pour rien dans ces alliances.* [...] [...] *les inclinaisons étaient comptées pour rien dans les mariages de l'ancien régime.* » (p. 61).

« [...] *l'autorité maritale consiste dans la prépondérance du mari au point de vue de la direction de la vie commune. La première marque de cette autorité, c'est l'obligation pour la femme de suivre le mari, d'habiter sous le même toit. C'en est aussi la première condition. Il faut qu'elle vive avec lui pour le servir, suivant la forte expression qu'on trouve dans une sentence du baillage de Bourges, il faut qu'elle soit* in manu mariti... » (p. 153-4).

« *Le trait le plus frappant, au point de vue moral, dans les rapports des époux, c'est peut-être la déférence que le chef de ménage obtient de sa compagne. Quand elle lui écrit, elle se qualifie sa très obéissante femme et servante, sa très humble servante et femme.* » (p. 162).

30. Sur la formation intellectuelle de la femme au XVIIe siècle, voir, bien entendu, les études courantes de : Gustave REYNIER, *La Femme au XVIIe siècle. Les ennemis et les défenseurs* (Paris, Tallandier, 1929) ; Gustave FAGNIEZ (*op. cit.* [n. 20]) ; Ch. GIDEL, *Les Français du XVIIe siècle,* au chap. IX : « L'Éducation des femmes au XVIIe siècle » (Paris, Garnier, s. d.).

Plus récent et certainement aussi instructif est l'excellent article de Roger Duchêne, « *L'École des femmes* au XVIIe siècle », pp. 143–54 in *Mélanges historiques et littéraires sur le XVIIe siècle* offerts à G. Mongrédien (Paris, Société d'Études du XVIIe siècle, 1974). On y lit, entre autres : « *Exclues de la culture classique par leur formation initiale, les femmes* [...] *y sont néanmoins initiées grâce à une sorte d'"éducation permanente"* » (p. 149). Et, plus loin : « *Par un renversement complet, ce sont les femmes qui assurent la formation des hommes. Parce qu'elles font leur éducation sentimentale, elles les guident aussi dans leur réforme culturelle. Leur supériorité dans le domaine des mœurs les rend exemplaires pour la vie de l'esprit.* » (p. 151).

31. La différence avec Molière, dont on a pourtant plus facilement reconnu le féminisme (Paul Bénichou, entre autres, dans *Morales du grand siècle* [Paris, Gallimard, 1948]), c'est que Molière conçoit des femmes que l'on aime et des

femmes que l'on n'aime pas pour des raisons d'éducation ! Ses tendres jeunes filles, Agnès ou Henriette, lui plaisent ; mais il repousse en ricanant Madelon et Cathos, Philaminte et Armande, des femmes qui ont, même maladroitement, des prétentions légitimes à l'instruction.

32. L'importance de l'argent dans les premières comédies de Corneille a été opportunément mise en évidence dans l'étude de Doubrovsky (pp. 42, 55–8[13]).

33. Le passage que nous citons, outre son martèlement déjà très cornélien, est la première stichomythie digne de ce nom du théâtre de Corneille. Et comme le fait remarquer Jacques Schérer : « *Ce procédé d'écriture peut exprimer un antagonisme extrêmement violent entre deux personnages, et convenir ainsi aux moments de la plus haute tension dramatique.* » (*La Dramaturgie classique* [Paris, Nizet, 1962], p. 313).

34. Il est intéressant de noter que ce passage sera repris, *mutatis mutandis*, dans *Le Menteur* (V, 3) entre Géronte et son fils Dorante, l'argent y étant remplacé par les seules prétentions de la naissance : seule la vertu, sans argent ou sans naissance, compte aux yeux de Géronte et de Corneille. Un semblable exemple chez Molière est célèbre : « *Non, non* [dit Dom Louis], *la naissance n'est rien où la vertu n'est pas.* » (*Dom Juan* ; IV, 4). Boileau consacra toute la Satire V à la même question : la Satire « *à M. le Marquis de Dangeau* », dite « De la Noblesse ».

35. Mélite n'a aucune peine à substituer Tircis à Éraste, car, estime-t-elle, « *Outre qu'en fait d'amour la fraude est légitime* » (V, 6 ; v. 1743).

36. Corneille a voulu le jeter à tout prix dans les bras de Cloris, davantage pour satisfaire à l'habitude d'un dénouement conciliateur que pour servir la cause d'une caractérologie cohérente. Nous verrons du reste que le bonheur d'Éraste est moins que certain.

37. Rappelons tout d'abord qu'Éraste se réjouit de la « mort » de Tircis, mais se désespère en apprenant la « mort » de Mélite, ce qui relève du plus noir cynisme et d'un égoïsme consommé. Quant au lexique de sa folie, relevons : les « *Parques* » (v. 1285) aux « *ciseaux barbares* » (v. 1291), qui semblent se préoccuper de « *l'empire d'Amour* » (v. 1286) ; « *les dieux* » au « *foudre décoché* » (vv. 1307, 1308) et les « *champs Élyziens* » (v. 1312) où Éraste irait verser son sang ; les « *bords du Styx* » (v. 1315) et ces « *esprits légers* » (v. 1325) « *À qui Charon cent ans refuse sa nacelle* » (v. 1327). Le même langage orne le discours d'Éraste, en présence de la Nourrice (V, 2). Voir *ŒC*, pp. 45, 47.

38. *Les Caractères*, « Des ouvrages de l'esprit », p. 104 in *Œuvres complètes* (Paris, Gallimard, « Bibl. de la Pléiade », 1941).

39. À des années d'intervalle, le délire de Bérénice fait écho à celui de Rodrigue. On se souvient du *Cid* (V, 1) :

> *Est-il quelque ennemi qu'à présent je ne dompte ?*
> *Paraissez, Navarrois, Mores et Castillans*
> *Et tout ce que l'Espagne a nourri de vaillants,*
> *Unissez-vous ensemble et faites une armée,*
> *Pour combattre une main de la sorte animée :*
> *Joignez tous vos efforts contre un espoir si doux,*

Pour en venir à bout, c'est trop peu que de vous. (vv. 1558-1564)
C'était sa manière à lui d'exprimer son orgueil d'avoir « dompté » Chimène. Bérénice entame le même chant (V, 5) :

Ne me renvoyez pas, mais laissez-moi partir.
Ma gloire ne peut croître, et peut se démentir.
Elle passe aujourd'hui celle du plus grand homme.
Puisque enfin je triomphe et dans Rome et de Rome.
J'y vois à mes genoux le peuple et le sénat,
Plus j'y craignais de honte, et plus j'y prends d'éclat,
J'y tremblais sous sa haine, et la laisse impuissante,
J'y rentrais exilée, et j'en sors triomphante. (vv. 1717-1724)

Les deux derniers vers surtout, de cette superbe tirade de Bérénice, semblent avoir été inspirés par l'épreuve amoureuse de Rodrigue lors du deuxième entretien avec Chimène.

Brasillach a voulu voir en Bérénice une femme « *folle de sa gloire comme une caricature de Chimène, orgueilleuse – elle sait bien qu'elle est vaincue, elle voudrait choisir au moins le jour du mariage, la rivale.* » (p. 340[10]). Il nous semble que le critique se soit trompé de personne ; c'est Rodrigue qu'il aurait dû évoquer...

40. Nous limitons la démonstration aux comédies et à la première tragi-comédie célèbre, *Le Cid*. Nous sommes néanmoins convaincu que l'analyse des personnages de Camille, d'Émilie et de Pauline réserverait des surprises qui confirmeraient quelques-unes de nos hypothèses.

41. Écoutons Alcidon en présence de Philiste, et parlant de Doris :

Pourquoi m'aigrir contre elle ? En cet indigne change,
Le beau choix qu'elle fait la punit et me venge ;
Et ce sexe imparfait, de soi-même ennemi,
Ne posséda jamais la raison qu'à demi.
J'aurais tort de vouloir qu'elle en eût davantage ;
Sa faiblesse la force à devenir volage. (vv. 935-940)

Ce sera, *mutatis mutandis*, l'attitude de don Fernand, de don Gomès et de don Diègue ; celle du vieil Horace et de Tulle ; celle aussi de Félix. Voilà tout un programme de discrimination sexuelle, que Corneille confie à la génération vieillissante de son théâtre. C'est peut-être un peu dans ce contexte qu'il faudrait un jour relire les imprécations de Camille.

42. Même Chrysante est parvenue à se racheter. Il suffit que Corneille lui prête le souvenir de ses amours de jeunesse, où elle aussi s'est vue arrachée à son amant à cause de l'inégalité des biens (voir V, 6).

43. DORIS :

Réunir les esprits d'une mère et d'un frère,
Du choix qu'ils m'avaient fait avoir su me défaire,
M'arracher à Florange et m'ôter Alcidon
Et d'un cœur généreux me faire l'heureux don,
C'est avoir su me rendre un assez grand service
Pour espérer beaucoup avec quelque justice. (vv. 1959-1964)

44. Un Avis « Au Lecteur », datant de 1634, et en tête de *La Veuve*, prétend définir le réalisme cornélien : « *La comédie n'est qu'un portrait de nos actions et de nos discours, et la perfection des portraits consiste en la ressemblance. Sur cette maxime je tâche de ne mettre en la bouche de mes acteurs que ce que diraient vraisemblablement en leur place ceux qu'ils représentent, et de les faire discourir en honnêtes gens, et non pas en auteurs.* » (*ŒC*, 76).

45. « Point couppé *était autrefois une dentelle à jour qu'on faisait en collant du filet sur du quintin, et puis en perçant et emportant la toile qui était entre deux.* » (FURETIÈRE, *Dictionnaire universel*, réimpression de l'édition de 1690, 3 tomes [Paris, Le Robert, 1978]. Voir t. III. Nous transcrivons en orthographe moderne.

46. Jacques MAURENS, *La Tragédie sans tragique* (Paris, Armand Colin, 1966), p. 195.

47. Antoine Adam s'est même davantage intéressé à Phylis. Voir son *Histoire de la littérature française au XVIIe siècle* (Paris, Domat, 1949), t. I, p. 497.

48. On peut croire qu'Alidor a été, à sa façon, un lecteur un peu cynique de Montaigne.

49. Voir les remarques d'André Stegmann (*ŒC*, 149).

50. Rappelons la définition donnée par Furetière : « Extravagant, ante, *adj. et subst. Fou, impertinent, qui dit et fait ce qu'il ne faudrait pas qu'il dît ni qu'il fît.* » (*Dictionnaire universel*, t. II).

Un article plein de finesse a tenté de minimiser « l'extravagance » d'Alidor en lui découvrant une cohérence de pensée qui serait directement inspirée par Montaigne. M. Larroutis, dans « L'Égotisme dans *La Place Royale* » (*RHLF*, 3, juil.-sept. 1962, pp. 321-8), écrit que « *Corneille a voulu peindre un homme qui pratique le culte du moi et l'a mis en principes, un égotisme, comme nous dirions aujourd'hui.* » (p. 323). Le rapport avec Montaigne semble convaincant, mais le rejet de l'extravagance l'est moins ; après tout, n'y a-t-il pas quelque extravagance chez Montaigne, sous le masque de la bonhomie ?

51. ALIDOR – « *Je ne la connais plus dès qu'elle est femme* » (v. 282). L'honnêteté d'Alidor peut faire illusion, mais toute la perspective du rôle indique clairement une peur bleue du mariage et de tout ce qui s'y rattache :

De mille qu'autrefois tu m'as vu caresser,
En pas une un mari pouvait-il s'offenser ?
J'évite l'apparence autant comme le crime,
Je fuis un compliment qui semble illégitime (vv. 283-286)

52. Ce fut déjà le cas de Philiste et d'Alcidon, dans *La Veuve*.

53. Techniquement parlant, *buddy system* désigne la nage par paire, chaque nageur étant responsable de la sécurité de l'autre.

54. Nous n'hésitons nullement ni sur le caractère noble ni sur le côté bourgeois de la société que Corneille a mise en scène. Le point de vue de Doubrovsky est que les « honnêtes gens » de Corneille sont nettement de la « classe nobiliaire » : « *Corneille prend soin de nous avertir que nous avons affaire à des personnes au-dessus de la condition des "marchands", "Nos" discours et "nos"*

actions [tiré de l'avis « Au Lecteur » précédant *La Veuve*], *auxquels Corneille s'associe spontanément, ce sont ceux de la seule classe nobiliaire, consciente d'elle-même comme d'un ordre sacré.* » (p. 76-7[13]). Il y a ici, semble-t-il, quelque confusion, ne fût-ce que parce que les bourgeois ne se limitent pas aux marchands. Il y a en outre un lexique du XVIIe siècle qu'il ne faudrait pas négliger. « *Le tiers état comprend donc les officiers d'offices non anoblissants.* "*En principe* (Roland Mousnier) *en tête de l'ordre les* gens de lettres... *gradués des* Facultés de Théologie, Jurisprudence, Médecine et Arts...". *Les avocats, les financiers, les* "*praticiens et gens d'affaires*" [...]. *Viennent, ensuite, les marchands.* » (P. CHAUNU, *La Civilisation de l'Europe classique* [Paris, Arthaud, 1966], p. 347). Et : « [...] *aussi les marchands sont les derniers du peuple qui portent qualité d'honneur étans qualifiez* honorables hommes *ou* honnestes personnes *et* bourgeois des villes. » (*Ibid.*). L'intérêt que l'on a pour l'argent dans les comédies de Corneille montre assez que ses personnages sont encore très proches du statut bourgeois : « *L'argent fascine, l'argent polarise, l'argent mobilise. La montée de la bourgeoisie, c'est la montée d'un groupe d'hommes qui possède le maniement du merveilleux instrument monétaire.* » (*Ibid.*, p. 351-2). La propriété, acquise au moyen de l'argent, a transformé d'anciens bourgeois en nouveaux nobles (bourgeois gentilshommes), mais la mentalité n'a pas changé. Les « honnêtes gens » de Corneille restent des bourgeois dans l'âme, aux aspirations nobiliaires. Leur imposer, comme à Alidor, un grandiose « projet aristocratique », c'est forcer les choses pour les besoins de la cause.

55. L'œuvre critique de Corneille est assez abondante : voir à ce sujet le recueil qu'y a consacré R. Mantero, *Corneille critique et son temps* (Paris, Buchet/Chastel, 1964). Il faut toutefois se résoudre à prendre cette production avec un grain de sel, soit parce que Corneille réfléchit trop tardivement à son œuvre, soit parce qu'il cherche à satisfaire quelque protecteur, quelque théoricien, voire un certain public. La prudence s'impose, non l'acceptation aveugle de tout ce qu'il dit, ni le rejet catégorique.

56. Ce qui risque parfois de tromper le lecteur de Corneille, c'est que l'héroïsme douloureux, qui est le seul véritable dans l'œuvre, se teinte à l'occasion de bravoure, de panache et même de tonitruantes présomptions verbales : le cas de Rodrigue, du jeune Horace, de Polyeucte. C'est leur côté alidorien, ou matamoresque ; c'est aussi la façade, le masque, ou l'ivresse d'un premier enthousiasme. C'est l'*extérieur*, presque désagréable, du héros. L'*intérieur*, par contre, demeure paradoxalement intact dans son profond déchirement. L'héroïsme cornélien a fini par créer une sorte d'osmose entre la douleur d'Angélique et le délire d'Alidor. À ce point de vue, certes, *La Place Royale* pourrait préfigurer l'œuvre tragique.

57. Il ne semble pas que la liberté avec laquelle Alidor croit pouvoir disposer d'Angélique relève du « *sens quasi juridique de posséder* », comme le suggère Maurens [46], car les acceptions de *posséder* et de *possession* sont trop variées (deux colonnes chez Furetière) ; le problème d'Alidor est d'agir selon la définition du « mari », alors qu'il ne l'est pas. Alceste commettra la même erreur. Relisons :

«Mari [...] *les femmes en France sont sous la tutelle perpétuelle du* mari, *ne peuvent faire aucun acte sans être autorisées par leur* mari. *Le* mari *est maître de la communauté.* » (FURETIÈRE, *Dictionnaire universel*, t. II).

58. Voir ALIDOR :

Mais las ! elle est parfaite, et sa perfection
N'approche point encor de son affection ; (vv. 191-192)

59. Angélique a une fixation de la fidélité, de ce qu'elle appelle la *foi* ; ce mot est constamment sur ses lèvres (vv. 355, 359, 428, 740, 859, 1189, 1206, 1448, 1486).

60. « *C'est une opération plus cachée de la Préciosité qu'il nous faudra décrire, si nous voulons connaître la dette vraie que Corneille a contractée envers elle.* » (p. 45[6]). Nadal consacre ensuite une page vibrante « aux aventures du cœur » dont la marquise de Rambouillet et les « Grands Précieux » auraient été les prophètes : il est question d'une « *réforme qui porte sur les servitudes, sur les insatisfactions de la nature féminine en quête d'une spiritualité.* » (p. 46[6]). Ne croirait-on pas que le triste sourire d'Angélique pointe derrière tout cela ?

61. N'essayons pas ici de démêler les divergences d'opinion. On sait que René Bray ou Georges Mongrédien n'hésitent pas à qualifier Catherine de Rambouillet de « précieuse » ; qu'Antoine Adam ne veut pas entendre parler de « préciosité » avant 1654 ; que R. Lathuillère a voulu vider la question, mais sans réponse tout à fait concluante. « Précieuses » ou « coquettes », grandes dames ou muses de poètes, il reste qu'un certain nombre d'entre elles a toujours aimé flirter avec les théories platoniciennes. La condition de la femme, à travers les âges, est responsable d'un goût féminin séculaire de la spiritualisation des amours. – Sur cette complexité de la « préciosité », l'étude monumentale de R. Lathuillère, *La Préciosité. Étude historique et linguistique*, t. I (Genève, Droz, 1966), a déblayé énormément de terrain, sans toutefois faucher toute la broussaille. L'étude récente du regretté Jean Michel Pelous, *Amour précieux, amour galant (1654-1675)* (Paris, Klincksieck, 1980) reprend le problème et propose d'intéressantes nouveautés : en grossissant la question, on risque d'avoir oublié que *préciosité* n'était finalement qu'un terme péjoratif destiné à clouer au pilori toute la médiocrité littéraire qui sévissait parmi les mondains, entre 1650 et 1675. Voir aussi l'émouvant compte rendu de l'ouvrage de J. M. Pelous par Roger Zuber (*XVIIe siècle, Revue*, oct.-déc. 1981, 133, pp. 469-72).

62. « *Ce* Discours contre l'Amour *est une polémique, parfois violente bien qu'académique, contre les mystiques amoureuses toutes plus ou moins inspirées du platonisme.* » (p. 108[6]).

63. Qui fait parler d'elle et dont on se gausse, en 1622, lorsqu'elle publie deux essais : *Égalité des hommes et des femmes*, et *Griefs des dames.* – On a signalé plusieurs œuvrettes qui épousaient l'état d'esprit des *Griefs* sans en adopter toute l'agressivité et ce dès 1602 ; par exemple, les *Dames Illustres* de Hilarion de Coste, *Les Femmes illustres ou les Harangues héroïques de Monsieur de Scudéry*, de 1642 et 1644, *Les Héroïnes comparées avec les héros en toutes sortes de vertus*, du Père du Bosc, en 1645. – Voir l'étude de Pierre Ronzeaud, « La Femme

au pouvoir ou le monde à l'envers » (*loc. cit.* [n. 23]), où l'auteur rappelle opportunément que l'effort féministe du Père Le Moyne, *La Gallerie des Femmes fortes*, date de 1647, mais « *Ce qui ressort en effet des échecs de Le Moyne dans sa tentative d'identification de la femme à l'homme et de sa juste intuition "poétique" d'un pouvoir féminin spécifique, c'est, d'une part son incapacité à penser la femme en dehors des fantasmes masculins (sainte, mère, sorcière), d'autre part la nécessité d'une prise de conscience, par la femme, de son droit à l'autonomie et aux pouvoirs qu'elle recèle.* » (p. 21). Un peu le problème, avouons-le, de la critique contemporaine... – Pour une liste plus complète des écrits – même les plus obscurs – qui ont jalonné la « querelle des femmes » dans la première moitié du XVIIe siècle, voir l'ouvrage de Maïté Albistur et Daniel Armogathe, *Histoire du féminisme français*, t. I (Paris, Éd. des femmes, 1977). On doute néanmoins de la diffusion spectaculaire de toutes ces œuvrettes de polémique.

64. En 1660-1661, Somaize publie son *Dictionnaire des précieuses*, suivi de son *Grand Dictionnaire historique des précieuses*. Quant à Madeleine de Scudéry, son *Grand Cyrus* ne paraissait qu'en 1649.

65. Encore une fois, *préciosité* dans le sens très large du terme. Quant à l'influence de la « querelle des femmes », elle fut sans doute minime, compte tenu des dates relativement tardives des œuvres polémiques les plus remarquées, par rapport aux dates de composition des comédies, voire du *Cid*.

66. Il y a dans *L'Astrée* tout un passage où Sylvandre et Hylas débattent la question de la fidélité en amour : « *Il y en a, berger, qui n'ont point d'extrémité, de milieu, ni de défaut, comme la fidélité ; car celui qui n'est qu'un peu fidèle ne l'est point du tout, et qui l'est, l'est en extrémité, c'est-à-dire qu'il n'y peut point avoir de fidélité plus grande l'une que l'autre.* » (cité par Jean Louis LECERCLE, *L'Amour de l'idéal au réel* [Paris-Montréal, Bordas, 1971], p. 128).

67. « *Mais un autre courant se fait jour dans l'*Astrée, *et exercera une forte influence dans toute la première moitié du siècle, c'est le néo-stoïcisme de du Vair. L'amour est une passion qu'il faut dominer, c'est une faiblesse qui soustrait la personne à l'empire de la raison.* » (*Ibid.*, p. 124). Pour Corneille, toute la thèse de Maurens va dans ce sens. Dans la *Philosophie morale des stoïques*, on lit : « *Si nous voulons rendre nostre ame capable de belles et bienseantes actions, il la faut eslever de terre et la mettre en un estat paisible et tranquille.* » « *La passion* [écrit Maurens en guise de commentaire] *est ce qui dit non au monde* » (*Op. cit.* [n. 46], p. 123). Du Vair semble s'être adressé directement à Angélique qui se retirera du monde faute d'avoir mal orienté sa passion plutôt que d'en avoir été saisie comme d'une « folie » ou d'une « ardeur déréglée ». Il est à noter que Maurens souligne un passage original de Du Vair, là où le moraliste donne une définition du devoir envers les femmes, comme s'il voulait joindre sa voix aux aspirations idéalistes, certes, mais désespérées des femmes de son temps : « *Montrons leur que nous ne voulons rien avoir à part d'elles, ni biens, ni pensées, ni affections : car en ceste communion se nourrit la bienvueillance et l'amitié, laquelle se perd et se dissipe en la diversité de desseins et de volontez* » (cité par

MAURENS, *ibid.*, p. 24). La communion de « deux âmes », telle qu'en rêvait Angélique !

68. Les dernières paroles d'Alidor : « *puisqu'elle dit au monde un éternel adieu,* / [...] *Je verrai sans regret qu'elle se donne à Dieu.* » (vv. 1527, 1529).

69. Il y aurait quelque parallèle avec Polyeucte. Il *sait* que Pauline reste sensible au souvenir et à la personne de Sévère ; l'amour terrestre de Polyeucte est voué à l'échec, et il portera toute sa passion au niveau de l'amour de Dieu.

70. Que l'on médite ce mot qui s'adresse à Doraste : « *Lui seul* [Alidor] *aura mon cœur, tu n'auras que le corps.* » (v. 1144).

71. FRANÇOIS DE SALES, *op. cit.* (n. 28), p. 234.

72. *Ibid.*, p. 244.

73. Ce qu'a fait avec quelque raison Maurens, réagissant enfin contre les critiques qui ont rendu *Le Cid* plus tragique que ne le voulut jamais Corneille lui-même. Maurens, en parlant de Rodrigue acharné à vouloir mourir : « *On reconnaît le Corneille des comédies* [...], *observateur amusé des inconséquences de la jeunesse.* » (*Op. cit.* [n. 46], p. 238). « *Ce sont ces malentendus discrètement empruntés à l'observation comique qui vont retarder et préparer la découverte émerveillée de la complicité des âmes.* » (p. 240). « *Cet humour ne se dissimule plus lorsque Corneille* [...] *imagine une nouvelle rencontre des amants.* » (p. 240).

74. Paul Bénichou est tellement convaincu que le mariage a lieu, qu'il y a consacré une remarquable étude, « Le Mariage du Cid », pp. 171-206 in *L'Écrivain et ses travaux* (Paris, Corti, 1967). Il semblerait que Corneille, du moins en 1660, ne fût que modérément rassuré à ce sujet. Voir plus loin.

75. On reconnaît les figures féminines de *Mélite*, de *La Veuve*, de *La Suivante* et Isabelle de *L'Illusion comique*.

76. On connaît les rares passages du ton répétitif de Chimène :

Tu n'as fait le devoir que d'un homme de bien ;
Mais aussi, le faisant, tu m'as appris le mien. (vv. 911-912)
Tu t'es, en m'offensant, montré digne de moi ;
Je me dois, par ta mort, montrer digne de toi. (vv. 931-932)

77. Elle s'inquiète de ce « *qu'a dit* [*son*] *père* » (v. 2), s'il « *approuve* [*son*] *choix* » (v. 8), tout comme son père sait qu'« *elle est dans le devoir* » (v. 25). Elle se réjouissait que les pères fussent d'accord (v. 452), et elle s'imagine même que, son père mort, « *son sang sur la poussière écrivait* [*son*] *devoir* » (v. 676). Il n'est pas impossible que Chimène découvre le rigoureux devoir qu'elle doit à son père grâce à l'agressivité que Rodrigue a déployée en vengeant le sien, plutôt que dans une sorte d'obéissance et de devoir instinctifs. Rodrigue serait ainsi doublement responsable du malheur de Chimène car il lui aurait communiqué le sens de la responsabilité !

78. On se souvient de cette première réaction, baroque et hyperbolique, lorsque Chimène évoque mélodramatiquement la mort de son père :

[...] *mes yeux ont vu son sang*
Couler à gros bouillons de son généreux flanc (vv. 659-660)

Puis le « sang », répété trois fois (!) mais pour rappeler ce que son père a fait pour le roi, les batailles gagnées, les murailles sauvegardées, etc. La vue du sang paternel n'a pas éliminé le souci de plaire au souverain !

79. Encore que toutes ces analyses nous ravissent – Nadal, Doubrovsky et Maurens, pour ne nommer que les plus brillantes – nous gardons quelque préférence pour les vues de Maurens, considérant que Rodrigue reste un « héros » bouleversé et instinctivement viril, plutôt qu'une sorte de vicomte de Valmont avant la lettre, le roué personnage des *Liaisons dangereuses*.

80. Cela est évidemment conforme à sa vision virilisante des années 1660. Les qualités de Chimène (voir *ŒC*, 824) sont plutôt... mâles.

81. Chimène est claire :

De ce qu'il fait pour vous [le Roi] *dois-je être le salaire*
Et me livrer moi-même au reproche éternel
D'avoir trempé mes mains dans le sang paternel ? (vv. 1810–1812)

Et seul Rodrigue semble finalement avoir compris, lui qui, contrairement à son roi, se soumet au silence de Chimène et confie leur bonheur à l'espoir :

Sire, ce m'est trop d'heur de pouvoir espérer. (v. 1836)

82. Cité par Henry LYONNET, *Le Cid de Corneille* (Paris, SFÉLT, 1929), p. 63.

83. Qu'on ne s'y trompe pas : tout le monde estime qu'il est juste que don Diègue soit vengé ; il y va de l'honneur ! Chimène demande les mêmes droits et on lui fait comprendre (l'Infante, le Roi, don Diègue, Elvire) que, dans les circonstances, les règles du jeu ont changé. Chimène fait face à une société dont les « absolus » s'ajustent au gré de la commodité.

84. Cette variante du célèbre mot beauvoirien – « *On ne naît pas femme : on le devient.* » (*Le Deuxième sexe* [*op. cit.* (n. 19)], t. I, p. 285) – apparaît sur la couverture du beau livre, violent, vibrant et parfois irritant, de Mariella Righini, *Écoute ma différence* (Paris, Grasset, 1978). En fait, le propos tel qu'il est inscrit dans le texte du chapitre VI a même une dimension plus réfléchie : « *Ce n'est pas tout de naître femme. Il faut aussi le redevenir.* » (p. 103).

85. L'hypothèse d'un Rodrigue qui aurait appris à connaître et à respecter la spécificité de son amante s'appuie sur la réaction qu'il a envers son père, quelques instants plus tard. En effet, don Diègue méprise l'amour : « *L'amour n'est qu'un plaisir, l'honneur est un devoir.* » (v. 1059), s'exclame le vieillard. Rodrigue bondit et lui fait la leçon sur l'importance de l'amour, comme si Chimène venait de la lui enseigner :

Mon honneur offensé sur moi-même se venge
Et vous m'osez pousser à la honte du change !
[...]
À ma fidélité ne faites point d'injure,
Souffrez-moi généreux sans me rendre parjure,
Mes liens sont trop forts pour être ainsi rompus,
Ma foi m'engage encor si je n'espère plus (vv. 1061–1068)

Rodrigue épouse ainsi l'éthique de Chimène, contredisant par la même occasion l'éthique de son entourage. Les circonstances viendront malheureusement compromettre cette conversion spontanée et émouvante à l'amour.

86. On sait que cette intention et cette solution sont probables. Croyant Rodrigue tué par don Sanche, elle s'effondre :

> *Pour prix d'une victoire où je perds ce que j'aime,*
> *Je lui laisse mon bien, qu'il me laisse à moi-même,*
> *Qu'en un cloître sacré je pleure incessamment,*
> *Jusqu'au dernier soupir, mon père et mon amant.* (vv. 1737–1740)

Le thème de la retraite dans la littérature du XVIIe siècle a maintenant son historien. Voir les travaux récents de Bernard Beugnot, et particulièrement pour les exemples qui nous intéressent – Angélique, Chimène – : « Y a-t-il une problématique féminine de la retraite ? », pp. 29–49 in *Onze études sur l'image de la femme dans la littérature française du dix-septième siècle*, réunies par Wolfgang Leiner (*op. cit.* [n. 9]).

87. « *Je sais bien que le silence passe d'ordinaire pour une marque de consentement ; mais quand les rois parlent, c'en est une de contradiction : on ne manque jamais de leur applaudir quand on entre dans leurs sentiments ; et le seul moyen de leur contredire avec le respect qui leur est dû, c'est de se taire...* » (« Examen » du *Cid* ; *ŒC*, 219).

88. On connaît le silence désapprobateur « à la Corneille ». En pleine querelle du *Cid*, il apprend que Richelieu s'en mêle, et il écrit à Boisrobert : « *Messieurs de l'Académie peuvent faire ce qu'il leur plaira, puisque vous m'écrivez que Monseigneur serait bien aise d'en voir le jugement, et que cela doit divertir son Éminence, je n'ai plus rien à dire.* » (juin 1637 ; cité par LYONNET, *op. cit.* [n. 82], p. 71).

TABLE

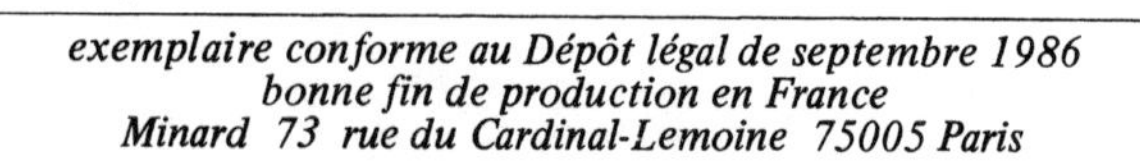

exemplaire conforme au Dépôt légal de septembre 1986
bonne fin de production en France
Minard 73 rue du Cardinal-Lemoine 75005 Paris